KV-428-553

DIE WELT DER CHINESISCHEN
SCHRIFTZEICHEN

von SHAOLAN 曉嵐

云
舟

DIE WELT DER CHINESISCHEN SCHRIFTZEICHEN

von SHAOLAN 曉嵐
Illustrationen: NOMA BAR

CHINEASY EVERYDAY

CHINESISCH GANZ EASY

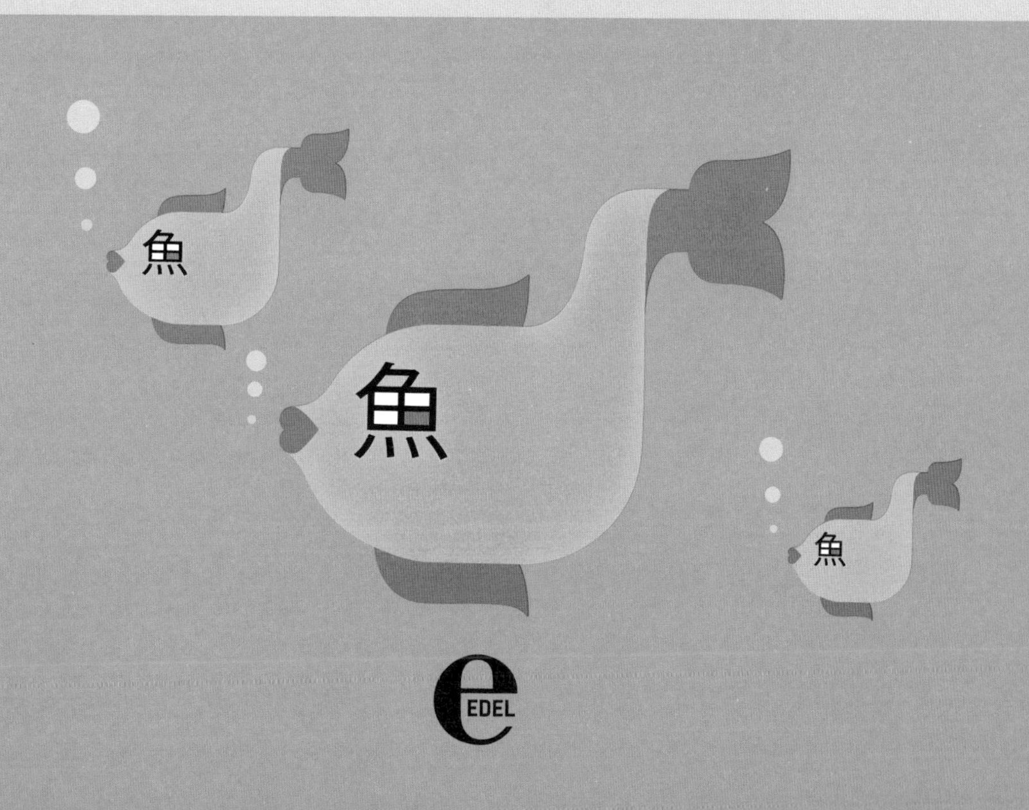

EDEL

Edel Books
Ein Verlag der Edel Germany GmbH

Titel der Originalausgabe:
Chineasy Everyday: The World of Chinese Characters © 2016 Chineasy Ltd

This edition first published in the United Kingdom in 2016
by Thames & Hudson Ltd, 181A High Holborn, London WC1V 7QX

Published by arrangements with Thames & Hudson Ltd, London
This edition first published in Germany in 2014 by Edel Germany GmbH, Hamburg

Neumühlen 17, 22763 Hamburg
www.edel.com
1. Auflage 2016

Art Director: ShaoLan Hsueh 薛曉嵐
Text und Konzept: ShaoLan Hsueh 薛曉嵐
Illustrationen: Noma Bar
Projektkoordination der deutschen Ausgabe: Julia Sommer
Übersetzung: Susanne Schmidt-Wussow, Berlin
Satz und Redaktion der deutschen Ausgabe:
trans texas publishing services GmbH, Köln
Coveradaption: Groothuis, Gesellschaft für Ideen und Passionen mbH

ISBN 978-3-8419-0395-2

Manufactured in China by Imago

INHALT

Die Tochter der Kalligrafin 8
Kleine Gebrauchsanweisung 10

KAPITEL 1
Zahlen, Zeit & Datumsangaben 20

KAPITEL 2
Das Sonnensystem &
Die fünf Elemente 44

KAPITEL 3
Menschen 60

KAPITEL 4
Natur & Wetter 86

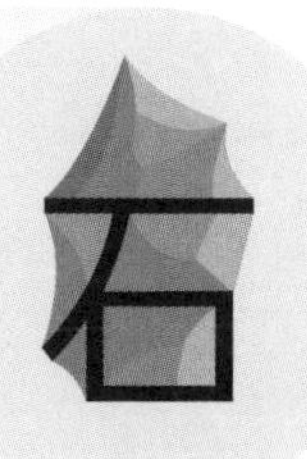

KAPITEL 5

Tiere 102

KAPITEL 6

Dinge beschreiben 118

KAPITEL 7

Gesundheit & Wohlbefinden 136

KAPITEL 8

Reisen 152

KAPITEL 9

Städte & Länder 168

KAPITEL 10
Modernes Leben 184

KAPITEL 11
Essen & Trinken 200

Wendungen & Sätze
für Fortgeschrittene 216

VERZEICHNIS
Wichtige Zeichen 224
Register der Zeichen und Wendungen 242
Danksagungen 254

Die Tochter der Kalligrafin

ShaoLan und ihre Kinder MuLan und MuAn, gemalt 2011 von Judith Greenbury, der Künstlerin, die ShaoLan dazu bewogen hat, *Chineasy* als Buch zu veröffentlichen.

Ich wuchs in der kleinen Stadt Yingge (鶯歌) vor den Toren Taipeis auf, die für die Herstellung von Porzellan und ihre vielen Künstlerateliers berühmt ist. Mein Großvater mütterlicherseits, bekannt unter dem Namen A-Gong (阿公), war ein renommierter Professor für Keramikkunst. Mein Vater, ein junger Mathematiker und Maschinenbauingenieur, beschloss, bei A-Gong zu studieren, nachdem er meine Mutter geheiratet hatte. Jahre später wurde auch er Professor für Keramikkunst und ein Meister der Glasur. In unserem Haus stapelten sich die Kunstwerke – vollendet und unvollendet – sowohl meines Vaters, des Keramikkünstlers, als auch meiner Mutter, der Kalligrafin.

Meine Schwestern und ich wuchsen inmitten von Ton, Tinte und Farben auf. Ich spielte gern mit den Töpferscheiben meines Vaters und den Pinseln meiner Mutter. Meine Eltern hofften jedoch, dass ich keinen künstlerischen Beruf anstrebte. Sie wollten, dass ich Finanzen, Buchhaltung oder Jura studierte, um einen gut dotierten Beruf zu ergattern, im Chinesischen 金飯碗 („goldene Reisschüssel") genannt. Ich nahm ein wissenschaftliches Studium auf. Wahrscheinlich brachte ich sie an den Rand der Verzweiflung, indem ich meine Zeit mit Computernerds verbrachte und alle Tantiemen, die mir meine Bücher über Software einbrachten, in ein Internetunternehmen steckte. Zu dieser Zeit, wir schrieben das Jahr 1995, hatte ich ein MBA-Studium begonnen, aber ich steckte all meine Energie in den Aufbau meines Internet-Start-ups. Es grenzte an ein Wunder, dass ich überhaupt meinen Abschluss schaffte.

Ende der 1990er-Jahre war aus dem Internetunternehmen, das ich mitgegründet hatte, eine der Branchengrößen in Asien geworden. Es war eine aufregende Zeit und meine Arbeit führte mich häufig ins Ausland. Während ich die Welt bereiste, bekam ich viele amüsierte Bemerkungen zu hören, sobald die Leute meine Reiselektüre bemerkten - ein sehr dickes chinesisches Wörterbuch. Es sah aus wie ein Backstein. Ich zuckte dann nur mit den Achseln und tauchte wieder in die Welt dieser wunderschönen Zeichen und ihrer faszinierenden Geschichten und Etymologien ein. Dadurch, dass ich meiner Mutter beim Anfertigen ihrer Kalligrafien zusah, wurde ich vielleicht dazu verleitet, in den Zeichen Muster zu erkennen, sobald ich darauf starrte.

Schließlich verließ ich Taipei Anfang 2001 und zog nach Großbritannien. Dort musste ich mit einer völlig anderen Kultur zurechtkommen, also verstaute ich die chinesischen Bücher, die ich mitgebracht hatte, tief im Schrank und sprach meine Muttersprache nur noch mit meiner Familie und mit Freunden in Taiwan. Als meine Kinder MuLan und MuAn älter wurden, gab ich mir große Mühe, ihnen das Chinesischlernen schmackhaft zu machen. Es war ihnen einfach zu schwierig. Da ich auf dem Markt nichts fand, was ihnen das Lernen hätte erleichtern können, nahm ich selbst mich dieser Aufgabe an. Es war der Beginn unserer faszinierenden Reise. Meine Kinder sahen meine TED-Präsentation über Chineasy und fanden sie „cool". So wurden sie zu meinen künstlerischen Leitern, halfen mir beim Ausarbeiten der einzelnen Zeichnungen und sind bis heute meine schärfsten Kritiker.

Das Familienprojekt, das Ergebnis unserer gemeinsamen kreativen Mühen, erntete von vielen Seiten Anerkennung. Als ich immer mehr Zeit mit der Arbeit und mit Reisen verbrachte, protestierten meine Kinder und sagten zu mir, sie würden Chineasy nicht mehr mögen; sie fragten mich, warum ich so viel daran arbeitete, wo sie doch dachten, Chineasy sei etwas Privates. Ich versuchte zu erklären, wie wir anderen helfen können, indem wir Chineasy allen zur Verfügung stellen. Sie wollten mir nicht zuhören und wandten ihre Aufmerksamkeit Videospielen und dem Programmieren von Apps für Mobilgeräte zu. Meine Kinder erinnerten mich an die junge Rebellin, die ich einmal war.

Eines Tages, sobald sie ihren eigenen Weg gefunden haben, werden meine Kinder hoffentlich stolz auf Chineasy sein und verstehen, warum ich das tue. Unser Familienmotto soll sein: Ich erschaffe, also bin ich!

KLEINE GEBRAUCHSANWEISUNG

Was gibt es Neues?

Das erste Chineasy-Buch Chineasy: *Chinesisch ganz easy* zeigte, wie es möglich ist, in kurzer Zeit etwas über chinesische Zeichen zu lernen, indem man sich auf die „Bausteine“ der Sprache konzentriert. *Chineasy Everyday* führt das Bausteinprinzip fort (siehe gegenüber), aber keine Sorge: Sie brauchen das erste Buch nicht gelesen zu haben, um dieses neue Buch zu verstehen und Spaß daran zu haben. Die beiden Bücher ergänzen sich, sind aber unabhängig voneinander. *Chineasy Everyday* hilft Ihnen dabei, weitere chinesische Zeichen zu lernen und dabei mehr über die chinesische Kultur und den Alltag in China zu erfahren.

Die chinesische Sprache spiegelt die Geschichte, Kultur und Philosophie des Landes und seiner Bewohner wider. Mithilfe der Illustrationen in diesem Buch werden Sie viele neue Zeichen lernen, aber *Chineasy Everyday* erzählt auch die Geschichten und die faszinierenden chinesischen Mythen hinter diesen Zeichen.

Das Buch ist nach Themen geordnet, damit Sie sich leichter zurechtfinden und die Wendungen nachschlagen können, die am besten zu Ihren Interessen und Ihrer Situation passen. Jedes Kapitel ist einem Thema gewidmet (zum Beispiel Menschen, Tiere oder Reisen) und enthält relevante, leicht erlernbare Zeichen, Wendungen und Sätze - und eröffnet ganz nebenbei auch noch Einsichten in das Leben in China.

Am Ende jedes Kapitels finden Sie unter der Überschrift „Zum Weiterlesen“ interessante Geschichten rund um das Kapitelthema oder Tipps zum vertiefenden Lernen. Die zusätzlichen Zeichen auf Seite 150 am Ende von Kapitel 7 stellen nur eine kleine Auswahl der Zeichen dar, die Sie auf der Grundlage des Gelernten aus den vorangegangenen Kapiteln bereits zusammensetzen können. Wer das Buch ganz durcharbeitet, hat über 400 der häufigsten und nützlichsten chinesischen Zeichen gelernt - eine beeindruckende Menge!

Das Register ab Seite 242 führt jedes Zeichen und jede Wendung auf, die in *Chineasy* vorgestellt wird, und zwar in der traditionellen und der vereinfachten Form (siehe Seite 18) und mit der entsprechenden Pinyin-Umschrift (siehe Seite 19).

Die Chineasy-Methode

In diesem Buch werden durchgängig drei wichtige Chineasy-Begriffe verwendet: „Baustein“, „Zusammensetzung“ und „Kompositum“. Diese Begriffe möchte ich vorab kurz erklären.

Baustein

Alle chinesischen Zeichen setzen sich aus 180 bis 215 Zeichen zusammen, den sogenannten Radikalen. Die meisten Radikale sind auch ein Zeichen für sich. Mit „Baustein“ meine ich ein häufig verwendetes, einfaches Radikal, aus denen wir viele Zeichen und Komposita zusammensetzen können. Ein Beispiel dafür ist das Zeichen 木, das so viel bedeutet wie „Baum“ oder „hölzern“ (siehe Seite 49).

Zusammensetzung

Ein Baustein (z. B. „Baum“ 木 oder das Zeichen 火 für „Feuer“, siehe S. 47) oder seine abgewandelte Form innerhalb eines Zeichens (z. B. 灬 „Feuer“) kann mit einem oder mehreren weiteren Zeichen zu einem zusammengesetzten Zeichen kombiniert werden: Ein „Feuer“ auf einem anderen wird zu „brennend heiß“ 炎; wenn wir „Baum“ verdoppeln, erhalten wir „Hain“ 林.

Kompositum

Sowohl „Baustein“ als auch „Zusammensetzung“ beziehen sich auf chinesische Wörter, die aus einem einzigen Zeichen bestehen. Wenn wir zwei oder mehr eigenständige Zeichen nebeneinanderstellen, erhalten wir ein Kompositum (z. B. bedeutet zweimal „brennend heiß“

Baustein – Baum

Zusammensetzung – Hain

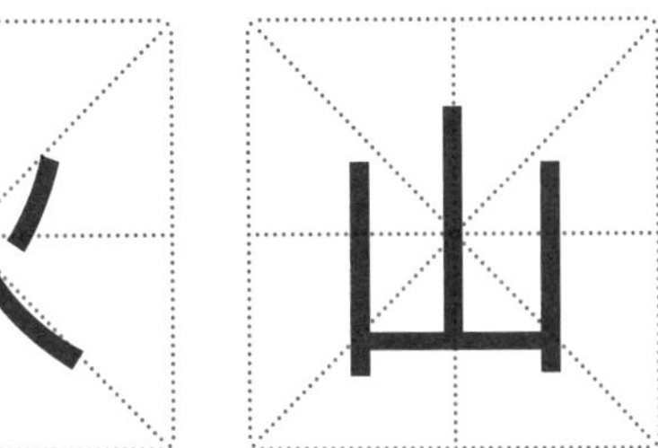

Wendung – Feuer + Berg = Vulkan

nebeneinander „glühend heiß“ 炎炎). Im Chineasy-System kann eine Wendung im Deutschen entweder als ein Wort wiedergegeben werden oder als Wortgruppe.

In Zusammensetzungen wird ein neues Zeichen geschaffen; in Komposita verleiht die Zusammenstellung von Zeichen ihnen eine neue Bedeutung. Genau dieses Bausteinprinzip macht Chineasy so einfach!

Aufbau der Zeichen

Beim Chinesischlernen ist es hilfreich, etwas über die Struktur bzw. den Aufbau der Zeichen zu wissen. Wenn Sie den Aufbau erkennen, können Sie sich die Zeichen leichter merken. Am häufigsten anzutreffen sind die folgenden fünf Strukturen:

1. Einzeln
Die Zeichen, die so aufgebaut sind, gehören in der Regel zu den ältesten der chinesischen Sprache und sind meist Piktogramme, bilden also die Gegenstände ab, für die sie stehen. Zeichen mit dieser Struktur können nicht in kleinere Bestandteile zerlegt werden.
Beispiele: „Sonne"/„Tag" 日, „Mond"/„Monat" 月, „Feuer" 火, „Wasser" 水

2. Links-rechts
Als die Sprache unserer Vorfahren immer komplexer wurde, wurden Einzelzeichen auf verschiedene Arten kombiniert. Eine dieser Strukturen ist die Links-rechts-Struktur.
Beispiele: „hell"/„morgen" 明, „Hain" 林, „gut"/„O.K." 好

Gelegentlich sieht man auch dreiteilige Zeichen (links-Mitte-rechts) wie „Löwe" 獅 oder „Affe" 猴.

3. Oben-unten
Eine weitere Möglichkeit, Einzelzeichen zu kombinieren, ist die Oben-unten-Struktur.
Beispiele: „Mann"/„männlich" 男, „Stern"/„Planet" 星, „Vater" 爸

Wenn drei Bausteine aufeinandergesetzt werden, erhalten wir eine Oben-Mitte-unten-Struktur, zum Beispiel in „Gras" 草 oder „Tee" 茶.

4. Drilling
Ein „Drilling" ist ein Zeichen, das grob in drei Bestandteile zerlegt werden kann. Dabei können einer oben und zwei unten angeordnet sein wie bei „Menschenmenge" 众, „Flamme" 焱 oder „Wald" 森 oder zwei oben und einer unten wie bei „sitzen" 坐.

5. Umschlossen
Es gibt mehrere Unterteilungen dieser Struktur, zum Beispiel vollständig umschlossen und teilweise umschlossen, wenn das Zeichen oben, unten, rechts oder links eine Öffnung aufweist.
Beispiele. „zurückkehren" 回, „Regen" 雨, „Bett" 床

Lesen für Anfänger

Wird Chinesisch waagerecht oder senkrecht gelesen? Die Antwort lautet: Beides ist möglich. Man kann die Zeichen von links nach rechts, von rechts nach links oder von oben nach unten lesen.

Heutzutage liest man Chinesisch überwiegend von links nach rechts, so wie Englisch, Französisch, Spanisch oder Deutsch.

In einigen alten Büchern oder auf Straßenschildern in China findet man manchmal Begriffe, die von rechts nach links geschrieben sind. Das kann vor allem dann kompliziert werden, wenn in einem Buch Englisch und Chinesisch nebeneinander verwendet werden.

Ich habe einmal einen Bucheinband gesehen, auf dem der englische Titel von links nach rechts und der chinesische Titel von rechts nach links gedruckt waren!

Will man Chinesisch senkrecht lesen (beispielsweise in alten Schriftrollen), liest man die Spalten von rechts nach links. Man beginnt also mit der ersten Spalte ganz rechts oben und liest dann spaltenweise nach links.

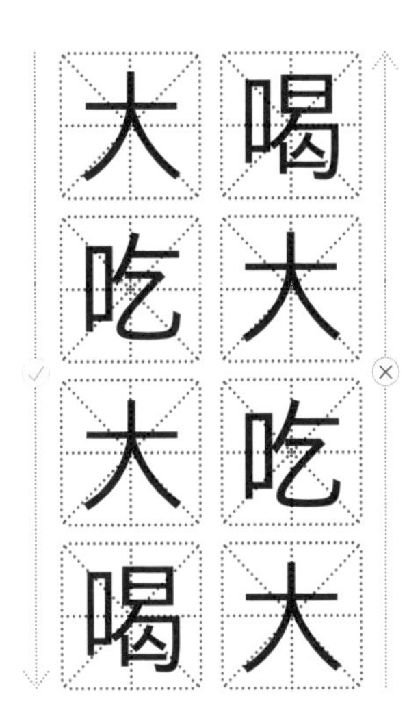

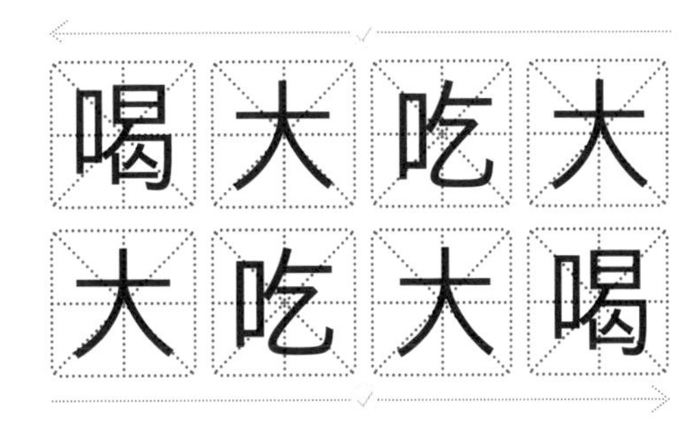

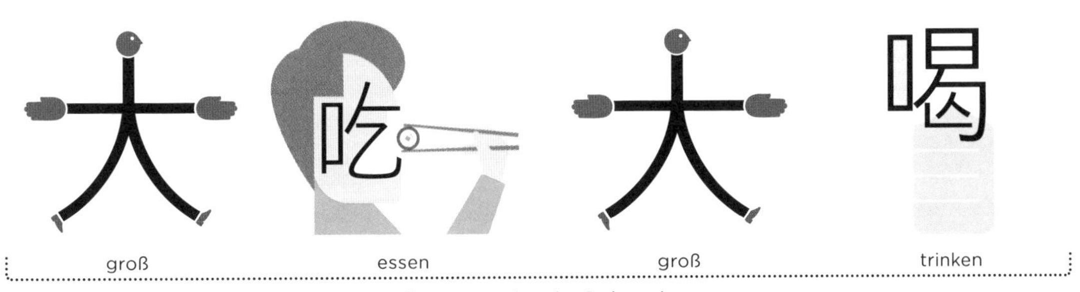

fressen wie ein Schwein

Die sechs Kategorien der chinesischen Schrift

Chinesische Schriftzeichen lassen sich je nach Herkunft und Bildung in verschiedene Kategorien einteilen. Im Lauf der Jahrhunderte gab es unterschiedliche Lehrmeinungen darüber, wie man die Zeichen kategorisieren sollte, aber die bekannteste Klassifizierung wird „Sechs Kategorien der chinesischen Schrift" 六書/六书 (liu⁴ shu¹; Erklärung der Pinyin-Umschrift auf Seite 19) genannt und entstand in der Han-Dynastie (206 v. Chr. bis 220 n. Chr.). Ein Grundwissen über diese Prinzipien wird Ihnen helfen, das Gelernte zu festigen.

1. Piktogramme 象形 (xiang⁴ xing²)
Ein Piktogramm bildet ein Objekt ab, beispielsweise ein Tier, eine Pflanze oder ein Werkzeug. Die alten Chinesen zeichneten ihre Familienmitglieder (Mann, Frau, Kind, sogar Hund), ihre Umgebung (Baum, Gras, Stein, Wasser und Berg) und was sie zum Lebensunterhalt brauchten (Kuh, Schaf, Huhn, Messer und Boot). Rund 600 piktografische Zeichen entstanden so vor Tausenden von Jahren. Im Laufe der Jahrhunderte haben sich viele dieser Zeichen jedoch leicht oder stark verändert. Viele von ihnen finden Sie als Bausteine in diesem Buch wieder. Das Schöne an Chineasy ist die Tatsache, dass man schon mit relativ wenigen Zeichen durch Kombinieren viele weitere Zeichen erschaffen kann.

2. Symbole, einfache Ideogramme 指事 (zhi³ shi⁴)
Abstrakte Konzepte lassen sich nicht einfach durch eine Zeichnung ausdrücken. Zeichen, die ein Konzept ausdrücken – Symbole oder einfache Ideogramme genannt –, werden auf zwei Arten neu geschaffen: Entweder fügt man einem bestehenden Piktogramm einen Strich hinzu (durch ein Brett unter „Baum" 木 erschaffen wir das Zeichen 本, das „Grundlage" oder „Ursprung" bedeutet) oder man verwendet Symbole, um ein neues Konzept auszudrücken. (Zum Beispiel „oben"/„über" 上 und „unten"/„unter" 下, beides Anpassungen des Zeichens für „eins" 一. In diesem Fall steht 一 für die Erde und die zusätzlichen Bestandteile stellen Dinge „über" oder „unter" der Erde dar.)

3. Zusammengesetzte Ideogramme 會意/会意 (hui⁴ yi⁴)
Zusammengesetzte Ideogramme entstehen, wenn zwei oder mehr Bausteine kombiniert werden, und stehen für komplexere Konzepte, abstrakte Vorstellungen oder auch Objekte. Wenn „Sonne" 日 und „Mond" 月 zusammen scheinen, wird daraus das Zeichen 明, das „hell" oder „Helligkeit" bedeutet, weil Sonne und Mond einst die wichtigsten Lichtquellen waren. 明 bedeutet auch „morgen" – nach einem Tag und einer Nacht. Zwei weitere Beispiele: Die Quelle der „Kraft" 力 auf einem „Feld" 田 war der „Mann" 男; wenn man ein „Feuer" 火 im „Hain" 林 anzündet, dann „verbrennt" 焚 man etwas. Innerhalb des Chineasy-Systems finden sich viele Beispiele für Zeichen, die auf diese Weise gebildet werden; so können Sie Ihr chinesisches Vokabular ganz einfach erweitern.

4. Phonogramme 形聲/形声 (xing^{2} sheng^{1})
Der Großteil der chinesischen Schriftzeichen gehört in diese Kategorie, die gelegentlich auch als piktophonetisch bezeichnet wird. Als ihre Zivilisation sich immer weiter entwickelte, brauchten unsere chinesischen Vorfahren Zeichen und Wendungen, die subtile und intellektuelle Bedeutungen vermittelten. Statt weitere einzelne Symbole neu zu erfinden, kombinierten sie zwei oder mehr Bausteine zu Phonogrammen; diese Zeichen haben eine piktografische Komponente, die die Bedeutung trägt, und eine weitere, die die Aussprache des gesamten Zeichens angibt. Die meisten modernen Zeichen wurden auf diese Weise geschaffen. So ist beispielsweise „Mutter" 媽 (ma^{1}) eine Kombination aus „Frau" 女 (nü^{3}) und „Pferd" 馬 (ma^{3}); 女 trägt die Bedeutung, während 馬 die Aussprache angibt. Das Zeichen für „trinken" 喝 (he^{1}) setzt sich zusammen aus „Mund" 口 (kou^{3}) für die Bedeutung und „Schreien" 曷 (he^{2}) für die Aussprache.

5. Synonyme 轉注/转注 (zhuan^{3} zhu^{4})
Zeichen dieses Typs haben eine ähnliche Bedeutung oder manchmal auch eine ähnliche Aussprache und können daher verwendet werden, um sich gegenseitig zu „erklären". So haben die Zeichen 老 (lao^{3}) und 考 (kao^{3}) dasselbe semantische Radikal 耂 und werden daher synonym gebraucht: 老 bedeutet „alt" (siehe Seite 125) und 考 wird heutzutage zwar meist im Sinne von „testen" oder „überprüfen" verwendet, in der alten Literatur findet man es jedoch in der Bedeutung „langes Leben" oder „alt".

6. Entlehnungen 假借 (jia^{3} jie^{4})
Eine Entlehnung ist ein Zeichen, das mit einer Bedeutung geschaffen wurde, dann aber für eine andere Bedeutung „geborgt" oder eben entlehnt wurde, weil die Aussprache dieselbe ist. Beispielsweise war das Zeichen 來 (lai^{2}) ursprünglich ein Piktogramm für „Weizen", wurde aber für die Bedeutung „kommen" entlehnt. Im Laufe der Jahre entstand ein anderes Zeichen für „Weizen", nämlich 麥 (mai^{4}), und so verlor 來 seine ursprüngliche Bedeutung und bedeutete nur noch „kommen". Ein weiteres Beispiel ist das Zeichen für „Norden": 北 (bai^{3}) bedeutete ursprünglich „Rückseite (des Körpers)". Später jedoch wurde das Zeichen 背 (bai^{4}) in der Bedeutung „Rücken" geschaffen, indem 北 mit der Form von „Fleisch" in Zusammensetzungen kombiniert wurde (月, siehe Seite 212), und 北 bedeutete fortan nur noch „Norden".

Sie werden zwar vereinzelt Hinweise auf Piktogramme und Phonogramme in diesem Buch finden, doch die Chineasy-Methode legt keinen großen Wert auf die sechs Kategorien der Schrift. Chineasy möchte vielmehr nicht muttersprachlichen Chinesischlernenden die intuitivste und effektivste Methode bieten, sich einfache Zeichen auf systematische und gleichzeitig unterhaltsame Weise anzueignen!

Die Entwicklung der Schriftstile

Die chinesischen Schriftzeichen haben sich im Lauf der Geschichte aufgrund von politischen und geografischen Veränderungen und der Notwendigkeit, soziale Fortschritte zu benennen, immer weiterentwickelt. Es gibt fünf große historische chinesische Schreibstile: die „Orakelknochenschrift" 甲骨文 (um 1400 v. Chr.), die „Bronzeschrift" 金文 (um 1600–700 v. Chr.), die „Siegelschrift" 篆書 (um 220 v. Chr.), die „Kanzleischrift" 隸書 (um 200 v. Chr.) und die „Regelschrift" 楷書 (oft auch „Standard-Schreibschrift" genannt, um 200 v. Chr.). Die Orakelknochenschrift besteht aus einem Satz von Zeichen, die man in Tierknochen oder Stücke von Schildkrötenpanzern ritzte, die dann zum Wahrsagen verwendet wurden. Trotz ihres bildhaften Wesens entwickelte sich die Schrift zu einem voll funktionalen und ausgereiften Schriftsystem. Die Bronzeschrift (金 bedeutet „Gold" oder „Metall", siehe Seite 50) bezieht sich im Wortsinn auf „Text auf Metall", da diese Inschriften größtenteils auf rituellen Bronzeobjekten wie Glocken und Kesseln zu finden waren. Die Entwicklung der Siegelschrift führte dazu, dass gebogene und lange Striche aus den Zeichen verschwanden. Als die Regelschrift eingeführt wurde, waren die Striche glatter und gerader geworden und die Zeichen damit eindeutiger und viel einfacher zu lesen und zu schreiben.

Im modernen Chinesisch wird am häufigsten die Regelschrift zum Schreiben und Drucken verwendet, während die früheren Schriftstile als kalligrafische Kunstformen genutzt werden. Meine Mutter, die Kalligrafin, kann Gedichte in Siegelschrift, Kanzleischrift, Regelschrift und sogar in Grasschrift (草書) schreiben. Nach der Erfindung des Buchdrucks mit beweglichen Lettern kamen die Schriftarten Song und Ming in Gebrauch, genau wie Arial, Times New Roman und Helvetica heute gern für Alphabetschriften verwendet werden. Heute können wir am Computer Dutzende Schriftarten einstellen.

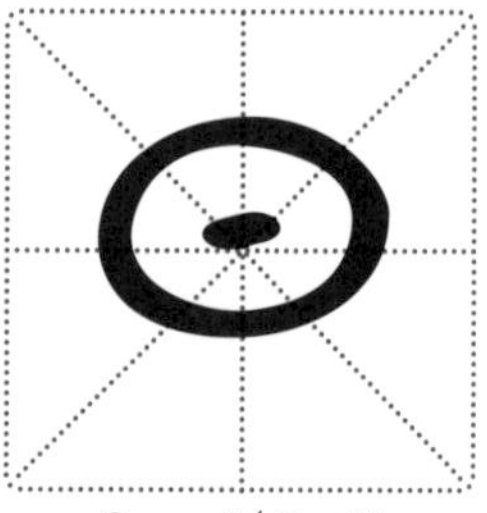

„Sonne"/„Tag" in Orakelknochenschrift

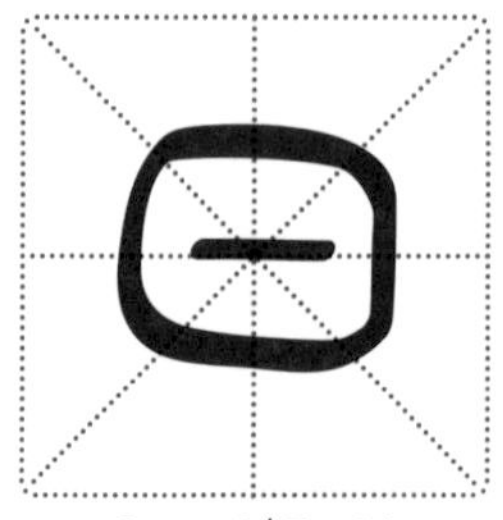

„Sonne"/„Tag" in Siegelschrift

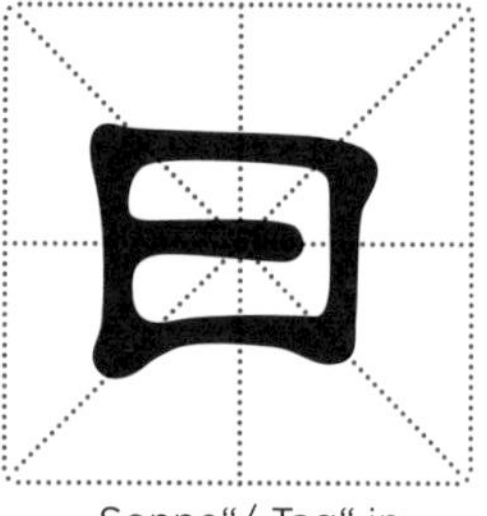

„Sonne"/„Tag" in Kanzleischrift

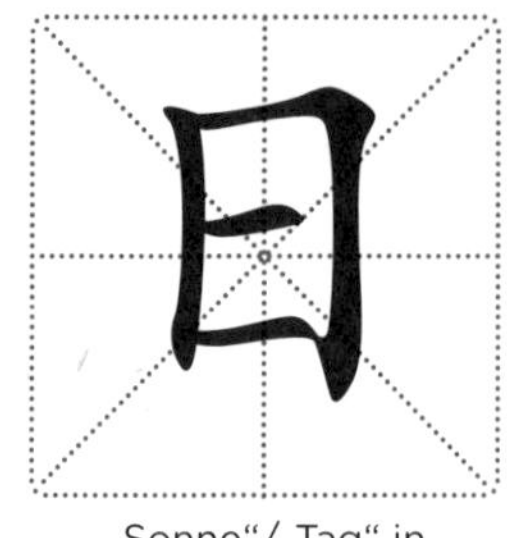

„Sonne"/„Tag" in Regelschrift

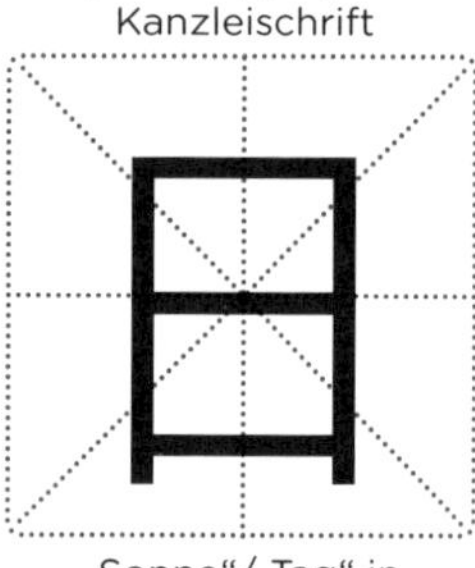

„Sonne"/„Tag" in modernem Chinesisch

Schreiben für Anfänger

Chinesische Schriftzeichen bestehen normalerweise aus zwei oder mehr Strichen. Beim Schreiben ist es wichtig, diese Striche in der richtigen Reihenfolge zu setzen. Eine spezielle Methode des Zeichenschreibens wurde 300 n. Chr. entwickelt; seither lernt jedes chinesische Kind nach den sogenannten acht Prinzipien von Yong (永字八法) schreiben. Im Schriftchinesischen findet man acht häufige Striche. Man demonstriert sie gern an dem Zeichen 永 (yong³) mit der Bedeutung „ewig".

1. 點/点 (dian³; Punkt) Setzt man einen Punkt oben auf das Zeichen für „König" 王, wird daraus „Meister" 主. Setzt man den Punkt rechts zwischen die beiden unteren Striche von „König", entsteht daraus das Zeichen für „Jade" 玉.

2. 横 (heng²; waagerecht) Dieser Strich wird von links nach rechts gezogen. Hat ein Zeichen mehr als zwei waagerechte Striche, wird der obere immer zuerst gesetzt.

3. 竖 (shu⁴; aufrecht) Eine senkrechte Linie, von oben nach unten gezogen.

4. 竖鉤 (shu⁴ gou¹; senkrechter Haken) Dieser Strich sieht genauso aus wie 竖, hat aber am unteren Ende einen kleinen Haken.

5. 提 (ti²; anheben) Ein kleiner Schlenker nach oben rechts.

6. 彎/弯 (wan¹; beugen/krümmen) Ein auslaufender, gekrümmter Strich, meist nach links unten, rasch gezogen.

7. 撇 (pie³; wegwerfen/neigen) Ein kurzer Strich nach unten, immer von rechts nach links gezogen.

8. 捺 (na⁴; kräftig drücken) Diesen Strich beginnt man oben und zieht ihn nach unten rechts. Am Ende kann man den Stift etwas anheben.

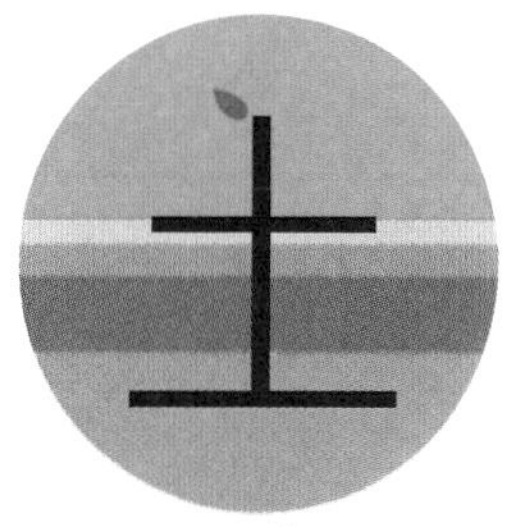

Boden/Erde

Beim Schreiben chinesischer Zeichen muss man auch auf die Länge der einzelnen Striche achten. Auf den ersten Blick sehen die beiden Zeichen rechts gleich aus, aber wer genau hinsieht, bemerkt, dass in „Boden"/„Erde" 土 (tu³) der untere waagerechte Strich länger ist, in „Gelehrter" 士 (shi⁴) dagegen der obere.

Gelehrter

Jeder Chinesischschüler übt das Schreiben zunächst auf kariertem Papier. Jedes Zeichen muss sauber in ein Quadrat passen. Vergleichen Sie, wie auf Seite 11 ein einzelner „Baum" ein Quadrat derselben Größe füllt wie das Zeichen für „Hain", das aus zwei Bäumen besteht. Damit zwei Bäume nebeneinander in das Quadrat passen, müssen Sie sie schmaler zeichnen. Ein Zeichen, ob Baustein (wie „Baum" 木) oder Zusammensetzung (wie „Hain" 林), passt immer in ein Quadrat. Eine Wendung dagegen nimmt zwei oder mehr Quadrate nebeneinander ein, zum Beispiel „Vulkan" 火山 auf Seite 11.

Traditionell oder vereinfacht?

Aufzeichnungen der chinesischen Sprache in der Orakelknochenschrift reichen bis in die Shang-Dynastie im 14. bis 11. Jahrhundert v. Chr. zurück. Seit damals verbreiteten sich die chinesischen Schriftzeichen bis in benachbarte Länder, darunter auch nach Japan. Eine unglaublich große Zahl japanischer Kanji (etwa 2000 bis 3000) sind identisch mit chinesischen Zeichen; gelegentlich weicht die Bedeutung etwas ab, aber in der Regel bedeuten die Zeichen im Chinesischen und Japanischen entweder dasselbe oder wenigstens etwas sehr Ähnliches.

Blitz/Elektrizität (traditionelles Chinesisch)

Im Laufe der letzten Jahrtausende entwickelten sich die chinesischen Dialekte je nachdem, wo sie gesprochen wurden, mit unterschiedlicher Geschwindigkeit. Im Vergleich dazu hat sich das Schriftchinesisch relativ wenig verändert. Ab 1949 jedoch begann die Kommunistische Partei in Festlandchina, traditionelle chinesische Schriftzeichen zu vereinfachen, um die Alphabetisierung der Massen voranzutreiben. Im Zuge dieses Prozesses wurden Striche in traditionellen Zeichen entfernt oder verändert, damit sie einfacher zu lesen und zu schreiben waren.

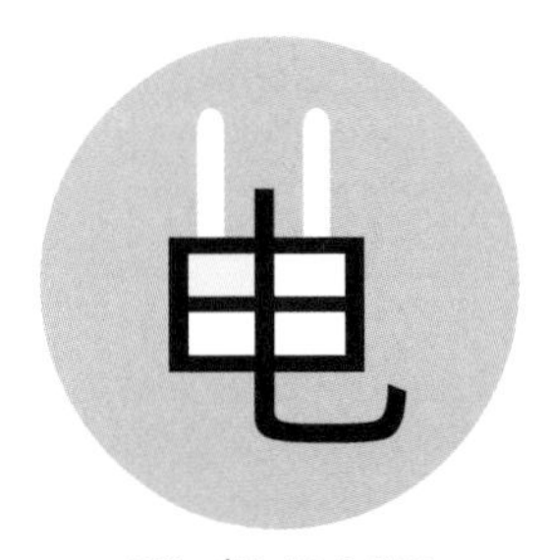

Blitz/Elektrizität (vereinfachtes Chinesisch)

Die traditionelle und die vereinfachte Form des Schriftchinesischen haben noch immer eine große Zahl von Zeichen gemein und im Alltag – genau wie bei britischem und amerikanischem Englisch – trifft man auf beide Varianten. Englischsprecher kennen nicht nur unterschiedliche Schreibweisen („colour" und „color"), sondern auch den Gebrauch verschiedener Wörter zur Bezeichnung derselben Sache („flat" und „apartment", „rubbish" und „garbage").

Viele Bildungseinrichtungen lehren im ersten Studiensemester nur traditionelles Chinesisch (die Schriftsprache in Taiwan und Hongkong), da es die Grundlage zum Lernen der Sprache bildet. Vereinfachtes Chinesisch sieht zwar einfacher aus, viele Anfänger finden traditionelles Chinesisch jedoch unkomplizierter, weil die traditionellen Formen der Zeichen oft den Objekten, für die sie stehen, ähnlicher sehen. So erkennt man beispielsweise noch die vier Beine im „traditionellen Pferd" (馬; siehe Seite 105), aber ein „vereinfachtes Pferd" (马) hat seine Beine verloren. In manchen Fällen jedoch ist die vereinfachte Form eines Zeichens für einen Anfänger wesentlich einfacher zu lernen. Ein Beispiel dafür ist das Zeichen für „Menschenmenge" (siehe Seite 63); die vereinfachte Form lautet 众 (drei Menschen zusammen), die traditionelle dagegen sieht so aus: 眾.

Chineasy lehrt sowohl traditionelle als auch vereinfachte Formen. Um das Lernen zu vereinfachen, wird die traditionelle Form eines Zeichens zuerst angegeben. In den Zeichenlegenden werden die seltenen Fälle gekennzeichnet, in denen die vereinfachte Form anstelle der traditionellen verwendet wird (z. B. „Punkt"/„Uhr" auf Seite 26). Ist keine Unterscheidung zwischen den Formen angegeben, sind die traditionelle und die vereinfachte Form des Zeichens identisch.

Sprechen für Anfänger

Mandarin ist von allen chinesischen Dialekten am weitesten verbreitet. Mehr als 960 Millionen der 1,2 Milliarden Chinesen sprechen Mandarin als Muttersprache. Um Nichtmuttersprachlern Mandarin beizubringen, verwenden die meisten Lehrer die Pinyin-Umschrift, das phonetische Standardsystem für die Transkription des Klangs von chinesischen Zeichen in das lateinische Alphabet.

Da Chinesisch eine tonale Sprache ist, verwendet das Pinyin-System eine Reihe von Zahlen oder Glyphen, die den Ton bezeichnen. So kann „Mensch" in der Pinyin-Umschrift entweder als „ren^2" oder als „rén" erscheinen. Chineasy verwendet das numerische Pinyin-System.

Nach jeder Übersetzung findet sich ein Wort in Klammern, gefolgt von einer Zahl; beides zusammen gibt die Aussprache an. Ein Beispiel dafür wäre 人 „Mensch" (ren^2).

Es gibt zwar mehrere verschiedene gesprochene chinesische Dialekte, aber alle benutzen dieselben Zeichen. Nur in der Aussprache dieser Zeichen unterscheiden sich die Dialekte voneinander.

Die meisten chinesischen Zeichen haben nur eine Aussprache in Mandarin, aber es gibt auch einige Ausnahmen. So wird das Zeichen 長 (vereinfachte Form: 长, siehe Seite 132) als Adjektiv mit der Bedeutung „lang" als „chang^2" ausgesprochen; wird es als Verb in der Bedeutung „wachsen" benutzt, spricht man es „zhang^3" aus.

Bemerkenswert ist in diesem Zusammenhang auch das Zeichen 不 mit der Bedeutung „kein" oder „nicht" (siehe Seite 122). Normalerweise wird es „bu^4" ausgesprochen. Wenn jedoch eine Silbe im Ton 4 darauf folgt, ändert sich die Aussprache zu „bu^2", und zwar aus dem einfachen Grund, dass eine Silbe im Ton 2 gefolgt von einer Silbe im Ton 4 besser klingt als zwei Silben im Ton 4. Ebenso wird 一, das Zeichen für „eins" (siehe Seite 22) normalerweise „yi^1" ausgesprochen; folgt darauf eine Silbe im Ton 4, wird daraus jedoch „yi^2", folgt eine Silbe im Ton 1, 2 oder 3, ändert sich die Aussprache zu „yi^4".

点

KAPITEL 1

ZAHLEN, ZEIT & DATUMSANGABEN

Zahlen von 1 bis 10

一 eins (yi¹)

Das Zeichen für „eins“ ist eine einfache waagerechte Linie. Es besteht aus einem einzelnen Strich, dem sogenannten *heng*-Strich, und ist passenderweise auch das erste Zeichen, das chinesische Kinder schreiben lernen. Wenn dieses Zeichen im Satz verwendet wird, kann es unterschiedlich ausgesprochen werden; siehe S. 19.

二 zwei (er⁴)

Das Zeichen für „zwei“ ist genauso einfach wie die Zahl eins. Wir setzen einfach eine etwas längere waagerechte Linie unter 一 (eins). Die Zahl zwei gilt in der chinesischen Kultur als Glückszahl. So lautet denn auch ein chinesisches Sprichwort: „Gute Dinge kommen paarweise.“

三 drei (san³)

Das Zeichen für „drei“ folgt dem einfachen Muster von „eins“ und „zwei“: Es kommt ein dritter Strich hinzu, das ergibt 三. „Drei“ steht im Chinesischen häufig auch für „viele“. Im Konfuzianismus und Taoismus (siehe S. 83) steht die Drei für Himmel, Erde und Menschen.

四 vier (si⁴)

Die Zahl vier gilt als Unglückszahl, weil sie ganz ähnlich klingt wie „Tod“ 死 (si³). Das erklärt, warum in manchen Hochhäusern alle Etagen mit einer vier darin ausgelassen werden, also 4, 14, 24, 34 und 40 bis 49. Auch ein Kellner im Restaurant sagt „ein Tisch für drei plus einen“ (三加一; san³ jia¹ yi¹) statt „ein Tisch für vier“.

五 fünf (wu³)

Die Zahl fünf ist mit den fünf Elementen (siehe nächstes Kapitel) und mit dem Kaiser von China verknüpft. Deswegen hat das 1651 erbaute Tor des Himmlischen Friedens auch fünf Torbögen.

六 sechs (liu⁴)

Ursprünglich war dieses Zeichen ein Piktogramm einer Hütte, aber inzwischen heißt 六 nur noch „sechs“ – eine Glückszahl in China, vor allem in der Geschäftswelt. Die sehr geläufige Redewendung 六六大顺 (liu⁴ liu⁴ da⁴ shun⁴) bedeutet „doppelte Sechs“. Man drückt damit seine guten Wünsche zu Neujahr sowie bei Hochzeiten oder Geburtstagen aus oder wünscht jemandem viel Glück beim Lottospielen.

七 sieben (qi^1)

Sieben steht für „Zusammensein“ und gilt als Glückszahl für Beziehungen. In traditionellen chinesischen Religionen bleibt der Geist eines Verstorbenen noch 49 (7 × 7) Tage bei den Lebenden. Die Bestattungszeremonie dauert daher traditionell 49 Tage, wobei sieben Wochen lang alle sieben Tage für den Verstorbenen gebetet wird.

八 acht (ba^1)

In Mandarin und Kantonesisch klingt die Zahl acht fast genau wie das Wort für „Wohlstand“ bzw. „Vermögen“, was die acht in der gesamten chinesischsprachigen Welt zu einer ausgesprochenen Glückszahl macht. So begannen beispielsweise die Olympischen Sommerspiele in Beijing am 8.8.2008 um 8 Uhr abends. Mehr Glück geht fast nicht!

Von 11 bis 99 zählen

Wenn man die Zahlen von 1 bis 10 und die folgenden drei Regeln kennt, lassen sich alle weiteren Zahlen im Chinesischen ganz einfach ableiten.

Für die Zahlen von 11 bis 19 nehmen wir die Zahl 十 (Zehn) plus die darauf folgende Ziffer. Beispiele:

11 = 10 (十) + 1 (一) = 十一
12 = 10 (十) + 2 (二) = 十二
Und so weiter, 19 ist also 十九.

Das Zeichen für „Null“ ist 零 (ling^2). Sehr häufig benutzen die Chinesen jedoch die arabische Ziffer 0 oder einen Kreis ○, vor allem bei Zahlen oder Daten.

Für die Zahlen 20, 30, 40 usw. bis 90 werden einfach die Zehner gezählt:

20 = 2 (二) x 10 (十) = 二十
30 = 3 (三) x 10 (十) = 三十
90 = 9 (九) x 10 (十) = 九十

Die anderen Zahlen bis 99 setzen sich nach einfachen mathematischen Regeln zusammen. Beispiele:

22 = 2 (二) x 10 (十) + 2 (二) = 二十二
45 = 4 (四) x 10 (十) + 5 (五) = 四十五
99 = 9 (九) x 10 (十) + 9 (九) = 九十九

Bitte sehr: Jetzt können Sie auf Chinesisch von 1 bis 99 zählen! Wie es mit den höheren Zahlen weitergeht, erfahren Sie auf Seite 36.

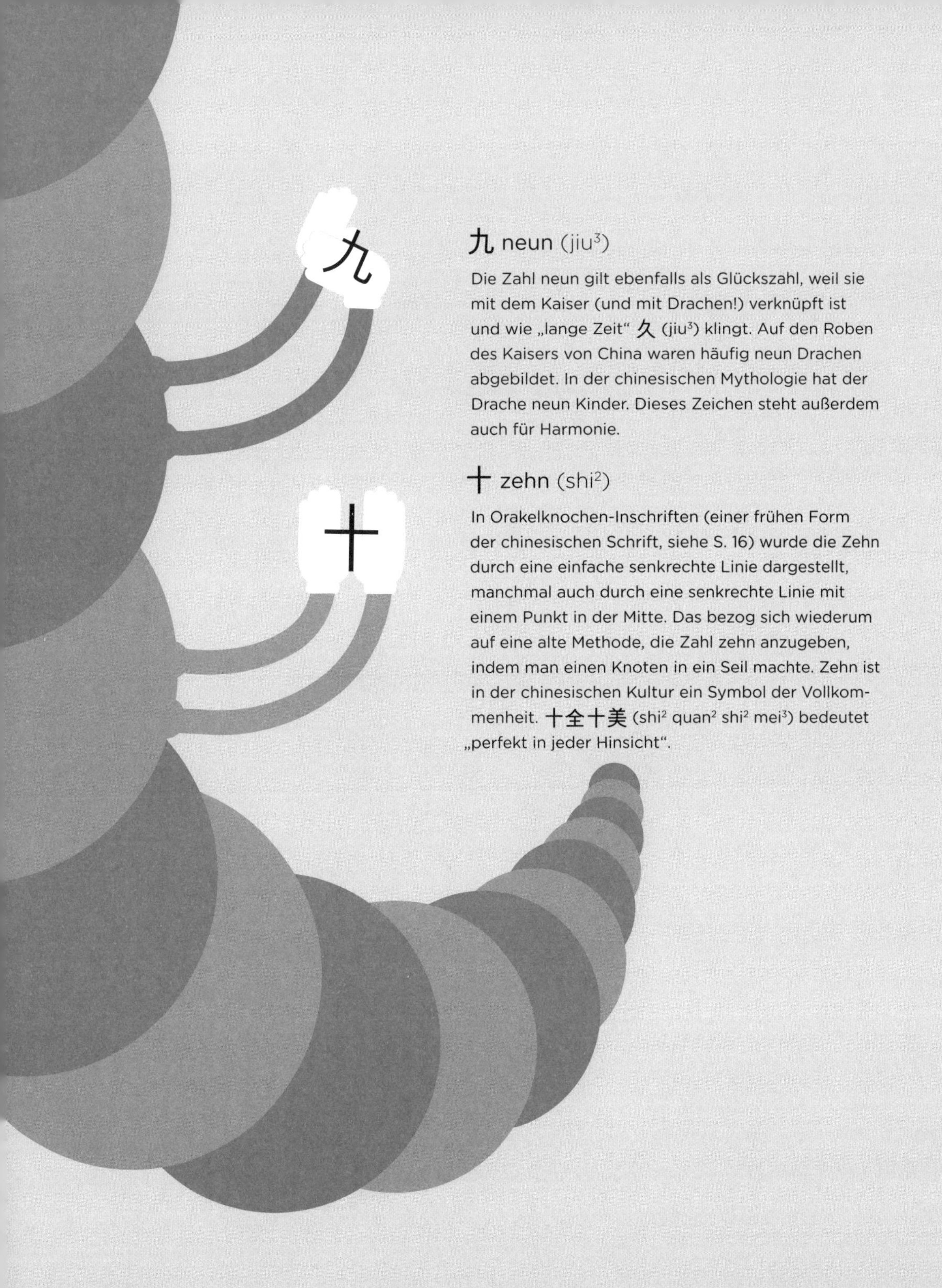

九 neun (jiu³)

Die Zahl neun gilt ebenfalls als Glückszahl, weil sie mit dem Kaiser (und mit Drachen!) verknüpft ist und wie „lange Zeit" 久 (jiu³) klingt. Auf den Roben des Kaisers von China waren häufig neun Drachen abgebildet. In der chinesischen Mythologie hat der Drache neun Kinder. Dieses Zeichen steht außerdem auch für Harmonie.

十 zehn (shi²)

In Orakelknochen-Inschriften (einer frühen Form der chinesischen Schrift, siehe S. 16) wurde die Zehn durch eine einfache senkrechte Linie dargestellt, manchmal auch durch eine senkrechte Linie mit einem Punkt in der Mitte. Das bezog sich wiederum auf eine alte Methode, die Zahl zehn anzugeben, indem man einen Knoten in ein Seil machte. Zehn ist in der chinesischen Kultur ein Symbol der Vollkommenheit. 十全十美 (shi² quan² shi² mei³) bedeutet „perfekt in jeder Hinsicht".

Die Uhrzeit

点 Punkt/Uhr

(dian³)

点 ist ein wirklich nützliches Zeichen. Es bedeutet auch „Tropfen", „Tupfen", „Fleck" und „Uhrzeit". Bei Zeitangaben wird es im Sinne von „um ... Uhr" verwendet, um die volle Stunde anzugeben. Dies ist die vereinfachte Form des Zeichens, die traditionelle Form lautet 點.

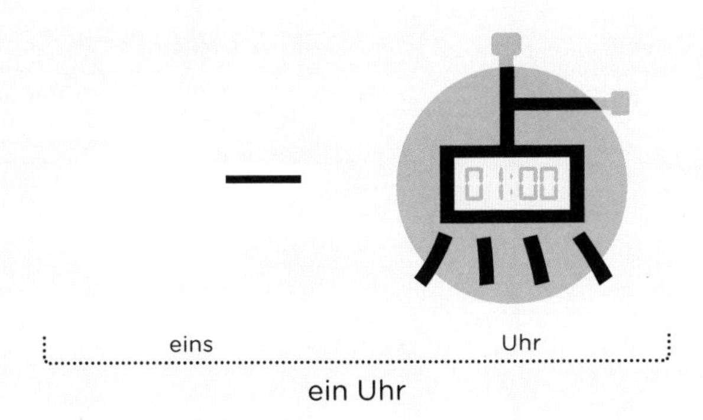

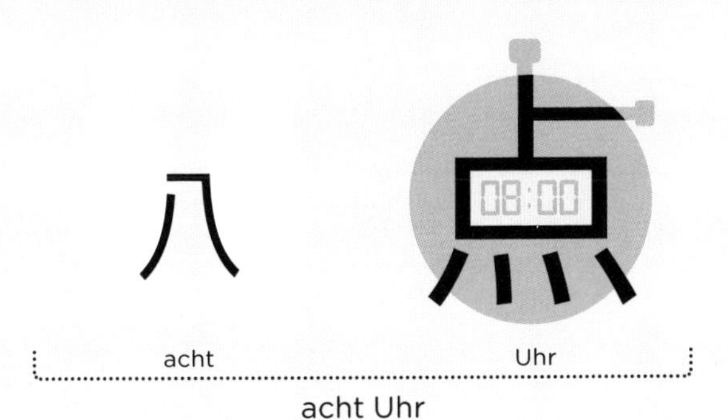

一点 ein Uhr
(yi[1] dian[3])

Wenn wir „eins“ vor „Uhr“ setzen, bedeutet das „ein Uhr“. Zeitangaben sind im Chinesischen wirklich nicht schwer!

Ein Uhr = „eins“ 一 + „Uhr“ 点 = 一点 (oder 一點 in der traditionellen Form)

八点 acht Uhr
(ba[1] dian[3])

Nach demselben Muster können wir auch „acht Uhr“ bilden.

Acht Uhr = „acht“ 八 + „Uhr“ 点 = 八点 (oder 八點 in der traditionellen Form)

年 Jahr (nian[2])

Die früheste Form dieses Zeichens in Orakelknochen-Inschriften zeigte einen Mann, der die Ernte nach Hause trägt. Nach und nach entwickelte sich daraus die Bedeutung „Jahr“. Ich merke es mir mit folgender Eselsbrücke: Ohne die Hilfe moderner Landwirtschaftstechniken konnten unsere Vorfahren nur einmal im Jahr die Ernte einfahren.

月 Mond/Monat (yue[4])

Der traditionelle chinesische Kalender basiert auf dem Mondzyklus, daher bedeutet das Zeichen 月 nicht nur „Mond“, sondern auch „Monat“. Die Daten vieler asiatischer Feiertage und Feste werden auch heute noch vom traditionellen Kalender bestimmt.

日 Sonne/Tag (ri[4])

Ursprünglich bestand das Zeichen 日 aus einem Kreis mit einem Punkt in der Mitte, sodass es eher einer Sonne ähnelte als das moderne Zeichen. Schließlich wurde aus dem Punkt in der Mitte die waagerechte Mittellinie und der Kreis wurde zu einem Rechteck. Dieses Zeichen bedeutet auch „Tag“, weil wir glauben, dass der Tag beginnt, wenn die Sonne aufgeht, und endet, wenn sie untergeht.

2 × 月 = 365 × 日

明 hell/morgen
(ming²)

Wenn die Sonne (日) und der Mond (月) zusammen leuchten, bilden sie ein Zeichen, das „hell" oder „Helligkeit" bedeutet.

Dieses Zeichen kann auch „morgen" oder „unmittelbar darauf" bedeuten. Ich stelle mir dazu immer vor, wenn die Sonne und der Mond beide ihre Reise über den Himmel beendet haben, ist ein Tag vergangen – und es ist morgen!

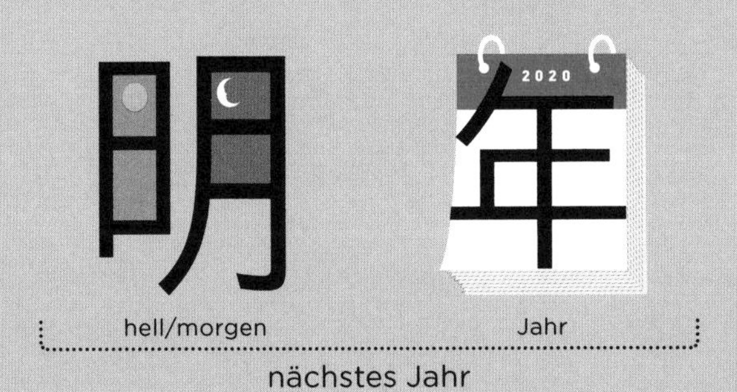

明日 morgen
(ming² ri⁴)

hell/unmittelbar darauf + Tag = der nächste Tag/ morgen

Auch wenn das Zeichen 明 für sich schon „morgen“ bedeuten kann, sieht man häufiger die Wendung 明日, in der 明 als Adjektiv verwendet wird, das das Nomen 日 „Tag“ beschreibt. Mit dieser Wendung lässt sich auch ein nicht festgelegtes Datum in der nächsten Zukunft bezeichnen.

Tatsächlich kann 明日 auch „helle Sonne“ bedeuten, aber es wird nur selten in diesem Sinn verwendet.

明月 heller Mond
(ming² yue⁴)

hell + Mond = heller Mond

Wenn wir „hell“ 明 und „Mond“ 月 kombinieren, erhalten wir „heller Mond“. Diese Wendung wird häufig als Adjektiv mit der Bedeutung „hell“, „klar“, „eindeutig“ oder „weise“ verwendet. Theoretisch könnte man meinen, dass 明月 auch „nächster Monat“ bedeuten könnte. Die übliche Wendung für „nächster Monat“ lautet jedoch 下個月 (xia⁴ ge⁴ yue⁴).

明年 nächstes Jahr
(ming² nian²)

hell/unmittelbar folgend + Jahr = nächstes Jahr

二月
二月
三月
三月
十二
一
二
三
四
五
六
七
八
九
十
十一

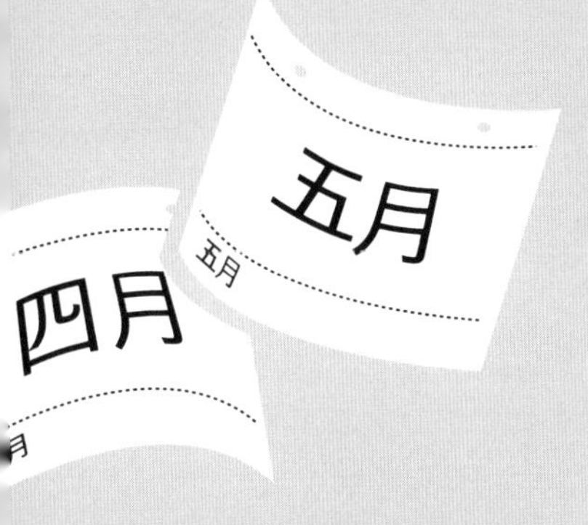

Der Kalender

Der traditionelle chinesische Kalender ist ein Mondkalender und unterscheidet sich stark vom gregorianischen Kalender, der in den meisten westlichen Ländern gilt. Heutzutage verwendet jedoch fast jeder, auch die Chinesen, im Geschäftsleben den gregorianischen Kalender. Die Monate und Tage werden in diesem Fall einfach durchnummeriert – ein Kinderspiel!

DIE MONATE

Will man im Chinesischen die Monatsnamen bezeichnen, hängt man an die entsprechende Zahl zwischen 1 und 12 einfach das Zeichen 月 (Mond) an. Im traditionellen Kalender werden die Monatslängen nach den Mondphasen berechnet. Ein Mondzyklus ist ein Monat. Auch wenn es hier um gregorianische Monate geht, kann man sich die einzelnen Monate trotzdem als „ein Mondzyklus", „zwei Mondzyklen" usw. merken. Hier einige Beispiele für Monate auf Chinesisch:

Januar = „eins" 一 + „Mond" 月 = 一月
[wörtlich] „ein Mondzyklus"

Februar = „zwei" 二 + „Mond" 月 = 二月
[wörtlich] „zwei Mondzyklen"

Dezember = „zwölf" 十二 + „Mond" 月 = 十二月
[wörtlich] „zwölf Mondzyklen"

DIE MONATSTAGE

Die Monatstage werden ähnlich wie die Monate gebildet: Man hängt einfach das Zeichen 日 (Sonne/Tag) an die entsprechende Zahl zwischen 1 und 31.

Die Monatstage lauten auf Chinesisch also wie folgt:

1. Tag des Monats = „eins" 一 + „Tag" 日 = 一日

2. Tag des Monats = „zwei" 二 + „Tag" 日 = 二日

31. Tag des Monats = „einunddreißig" 三十一 + „Tag" 日 = 三十一日

DAS DATUM

Im Deutschen sagen wir zum Beispiel „7. Januar", aber im Chinesischen ist die Reihenfolge umgekehrt, es geht immer von „groß" nach „klein". Eine Zeitangabe beginnt also stets mit dem Jahr, dann kommt der Monat, der Tag und schließlich die Uhrzeit.

Der 7. Januar heißt demnach: 一月七日
(„eins" 一 + „Mond" 月 für „Januar", dann „sieben" 七 + „Tag" 日)

Und der 31. Dezember heißt: 十二月三十一日
(„zwölf" 十二 + „Mond" 月 für „Dezember", dann „einunddreißig" 三十一 + „Tag" 日)

Qixi – der chinesische Valentinstag

7. Tag des 7. Monats im chinesischen Kalender

Qixi (七夕; qi[1] xi[1]) ist ein traditionelles Fest, mit dem das jährliche Treffen zweier getrennter Liebender aus der chinesischen Mythologie gefeiert wird. Es wird auch das „Doppel-Sieben-Fest" genannt, weil es immer auf den 7. Tag des 7. Monats (七月七日; qi[1] yue[4] ri[4]) des traditionellen Mondkalenders fällt.

In dem Mythos geht es um die Liebesgeschichte zwischen einem Hirtenjungen und einem Webermädchen (牛郎與織女/牛郎与织女; niu[2] lang[2] yu[3] zhi[1] nü[3]). Es gibt zahlreiche Versionen der Geschichte, die älteste bekannte Erwähnung reicht mehr als 2600 Jahre zurück.

Folgende Version wurde mir als Kind erzählt: Es war einmal ein armer Kuhhirte. Seine Eltern waren gestorben und er lebte bei seinem grausamen Bruder und dessen Frau. Ein Bauer hatte Mitleid mit ihm und bot ihm eine tägliche Mahlzeit und ein Strohlager in einem Kuhstall an. Im Gegenzug passte der Hirtenjunge auf den alten Ochsen des Bauern auf.

Eines Nachts führte der Ochse den Hirtenjungen zu sieben schönen Feen, die im Mondlicht in einem Fluss badeten. Von dem wunderbaren Anblick verzaubert, nahm der Hirtenjunge eines der Feenkleider, die an den Zweigen eines Baums hingen. Als die Feen den Fremden näherkommen sahen, griffen sich die sechs ältesten Feen ihre Kleider und flogen davon. Ihre jüngste Schwester jedoch ließen sie am Fluss zurück. Diese jüngste Fee war das Webermädchen, die Fee des Sterns Wega. Der Hirtenjunge versprach, ihr das Kleid zurückzugeben, wenn sie ihn dafür heiraten würde. Das Webermädchen beschloss, auf der Erde zu bleiben und nicht länger die Fee der Wega zu sein. Die beiden heirateten und bekamen zwei Kinder. Der Kuhhirte arbeitete auf dem Feld und das Webermädchen lehrte die Menschen, Seide herzustellen und zu weben.

Die himmlische Mutter wurde zornig, als sie erfuhr, was das Webermädchen getan hatte. Deshalb stieg sie vom Himmel herab und zwang das Mädchen, allein in den Himmel zurückzukehren. Der Ochse sagte dem Hirten, er könne nach seinem Tod seine Haut benutzen. Es stellte sich heraus, dass der Ochse in Wahrheit das Sternbild Stier war. Er kehrte ebenfalls an den Himmel zurück und ließ dem Hirten seinen Körper zurück. Der Hirte benutzte die Ochsenhaut als Umhang und flog mit seinen Kindern in den Himmel, um nach dem Webermädchen zu suchen.

Kurz bevor die Familie wieder vereint war, schuf die himmlische Mutter mit einem Zauberspruch die Milchstraße und verhinderte so, dass das Paar zusammenkam. Der Hirte wurde zum Stern Altair, der über die Milchstraße hinweg auf seine geliebte Wega schaut. Jedes Jahr am 7. Juli bildet ein Schwarm Elstern eine Brücke über den Himmel, damit die Liebenden für einen Tag wieder vereint sein können.

Drachenbootfest

5. Tag des 5. Monats im chinesischen Kalender

Das Drachenbootfest (龍舟節/龙舟节; long^{2} zhou^{1} jie^{2}), auch bekannt als Duanwu-Fest (端午節/端午节; duan^{1} wu^{3} jie^{2}), ist ein traditionelles Fest, das in China, Taiwan, Hongkong und von Auslandschinesen überall auf der Welt gefeiert wird. Es fällt auf den 5. Tag des 5. Monats (五月五日; wu^{3} yue^{4} wu^{3} ri^{4}) des traditionellen Mondkalenders. Es gibt viele unterschiedliche Geschichten über den Ursprung des Festes. Am weitesten verbreitet ist die Version, dass es auf den Selbstmord des berühmten Dichters und Staatsmanns Qu Yuan zurückgeht.

Qu Yuan lebte zur Zeit der Streitenden Reiche (475–221 v. Chr.), als sieben Königreiche – Qi, Chu, Yan, Han, Zhao, Wei und Qin – um die Vorherrschaft wetteiferten. Qu Yuan war ein Staatsmann des Reiches Chu und genoss das Vertrauen seines Königs. Im Lauf der Zeit gelang es dem Reich Qin, in die anderen Reiche einzufallen. Um das Volk von Chu zu retten, riet Qu Yuan dem König, sich mit dem Reich Qi zu verbünden, aber korrupte Höflinge stachelten den König gegen ihn auf. So wurde Qu Yuans Vorschlag ignoriert und er wurde ins Exil geschickt. Niemand hörte mehr auf seinen weisen Rat und das Reich Chu wurde schließlich von Qin annektiert. Als Qu Yuan 278 v. Chr. erfuhr, dass Chu von Qin besiegt worden war, ertränkte er sich aus Kummer im Fluss Miluo, der heute im Nordosten der Provinz Hunan liegt. Als die Männer am Ufer sahen, wie er sich das Leben nahm, stürzten sie der Legende nach zu den nächsten Booten und fuhren so schnell sie konnten hinaus, um Qu Yuan zu retten, doch sie kamen zu spät. Später warfen die Dorfbewohner Reisbällchen in den Fluss, um die Fische davon abzuhalten, seine Leiche zu fressen, und schlugen Trommeln und klatschten mit Paddeln auf das Wasser, um böse Geister zu verjagen. Diese Reisbällchen werden unter dem Namen *zongzi* (粽子; zong^{4} zi) heute noch traditionell während des Festes gegessen.

Trotz seines tragischen Ursprungs ist das Drachenbootfest ein fröhliches Ereignis. Die drei typischen Traditionen dieses Fests sind das Essen von *zongzi*, das Trinken von Realgar-Wein (Realgar ist eine giftige Substanz, die traditionell als Mückenabwehrmittel verwendet wird) und natürlich das Drachenbootrennen. Familien versammeln sich heute am Fluss, um kräftigen jungen Männern dabei zuzusehen, wie sie gegeneinander im Rennen antreten und um den Glück bringenden Sieg für ihr Dorf kämpfen.

百 hundert (bai³)

Dieses Zeichen sieht aus wie „eins" (一) auf „weiß" 白 (bai²). Die früheste Form des Zeichens zeigte einen alten Behälter mit einem waagerechten Symbol darauf, das die Menge des Inhalts bezeichnete. Im Lauf der Zeit entwickelte es die Bedeutung „hundert".

百 wird in Wendungen aber auch im übertragenen Sinn von „viele" verwendet. So heißt zum Beispiel 百草 („100 Gräser"; bai³ cao³) „Kräutersammlung" („Gras" siehe S. 204); 百货 („100 Waren"; bai³ huo⁴) bedeutet „Waren aller Art" oder „breit gefächertes Sortiment" und 百姓 („100 Nachnamen"; bai³ xing⁴) heißt „Bevölkerung" oder „Einwohner".

千 tausend (qian¹)

Früher hatte dieses Zeichen eine andere Bedeutung als heute. Es bezeichnete nämlich einen Mann, der immer weiterläuft. Seine moderne Bedeutung ist „tausend". Ich stelle mir immer vor, dass der Mann erst tausend Kilometer laufen muss, bevor er an seinem Ziel ankommt. 千 kann auch für die konkrete Zahl 1000 stehen.

Wie 百 wird auch 千 häufig im Sinne von „viele" verwendet. Als Verstärkung werden 千 und 百 in der Wendung 千百 („viel"; qian¹ bai³) zusammengefasst.

元 Dollar (yuan^2)

In Orakelknochen-Inschriften zeigte dieses Zeichen noch einen knienden Mann. Die beiden waagerechten Striche oben (二) stellen den Kopf des Mannes dar, der untere Teil (儿) die knienden Beine. Ursprünglich bedeutete das Zeichen „Kopf“ oder „Anfang“, da im Ausgangszeichen der Kopf besonders betont war. Inzwischen hat sich die Bedeutung hin zu „Dollar“ verschoben.

BANK OF CHINEASY
一千
元
女
一千
BANK OF CHINEASY
女
木木木
一百
BANK OF CHI
五百
元
主
木木木
一百

木
五
一百
王
元
元
EASY
一百
元
BAN
元
元
五百
五百
木
一百
BANK OF CHINEASY
CHINEASY
一百
主
王
元

生 Geburt/Leben
(sheng[1])

Die ursprüngliche Form dieses Zeichens zeigte eine Handvoll Spröss-linge, die aus der Erde schauen. Die Vorstellung der keimenden Pflänz-chen wurde dann auf die heutige Bedeutung „Geburt", „Leben", „gebo-ren werden", „gebären" oder „wachsen" erweitert.

Als Adjektiv verwendet bedeutet 生 „roh" bzw. „frisch".

Chinesische Philosophie zum Thema Geburt und Leben

Die chinesische Gesellschaft ist stark von Buddhismus, Taoismus und Konfuzianismus beeinflusst (siehe S. 83). Diese Glaubenssysteme unterscheiden sich in ihren Ansichten zu Geburt, Leben und Tod recht stark voneinander.

Konfuzius fragte: „Wenn wir über das Leben noch nichts wissen, wie können wir dann etwas über den Tod wissen?“ (未知生，焉知死?) Er wollte, dass die Menschen den Augenblick nutzen und in der Gegenwart leben. Im Buddhismus ist der Tod nicht das Ende des Lebens, sondern nur das Ende des Körpers, den wir in diesem Leben bewohnen. Das Konzept des Karmas, das Gesetz von Ursache und Wirkung, beherrscht die Einstellung der Menschen zu Geburt und Leben und ihr Verhalten im Alltag. Für die taoistischen Philosophen Laozi und Zhuangzi sind Leben und Tod einfach ein Teil des natürlichen Zyklus des Universums, daher gibt es auch nichts zu fürchten.

Die meisten Chinesen vermeiden jedoch das Thema Tod. Die Furcht vor diesem Thema beeinflusst auch ihren Alltag. So gilt die Zahl vier als Unglückszahl, weil sie ganz ähnlich klingt wie „Tod“ (siehe S. 23 und S. 42), und es ist tabu, jemandem eine Uhr (siehe S. 43) oder weiße oder gelbe Blumen zu schenken, weil sie Symbole für den Tod sind.

一生 Menschenleben

(yi¹ sheng¹)

eins + Leben = „Leben des Einen“, Menschenleben

Diese Wendung kann auch „Lebenszeit“ bedeuten.

生日 Geburtstag

(sheng¹ ri⁴)

Geburt + Tag = Geburtstag

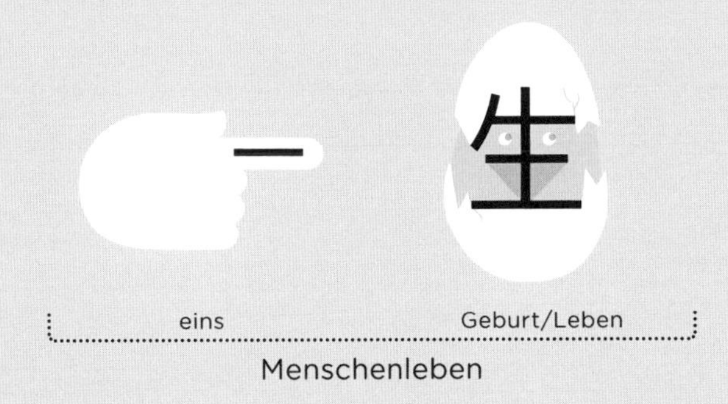

Zum Weiterlesen

Glücks- und Unglückszahlen im Chinesischen

Glückszahlen:

六 „sechs“ (liu^{4}) bedeutet, dass alles glattgehen wird, weil es klingt wie 流 (liu^{2}), das die Bedeutung „fließend“, „glatt“ oder „reibungslos“ trägt. 六 gilt als besonders Glück bringend, wenn es in Vielfachen auftaucht.

八 „acht“ (ba^{1}) klingt wie „Glück“ 發/发 (fa^{1}; siehe S. 143).

九 „neun“ (jiu^{3}) klingt wie „lang andauernd“ 久 (jui^{3}).

Unglückszahlen:

四 „vier“ (si^{4}) klingt wie „Tod“ 死 (si^{3}).

十四 „vierzehn“ (shi^{2} si^{4}) klingt wie „zehn sterben“ 十死 (shi^{2} si^{3}).

1000 und 10000 – große Zahlen bilden

Wenn wir im Deutschen Zahlen über 999 schreiben, fügen wir vom Ende her alle drei Stellen einen Punkt ein, um die Tausendergruppen anzugeben. Im Chinesischen werden große Zahlen nach Zehntausendern geteilt (万 heißt „zehntausend“), als würde also das Komma eine Stelle nach links rutschen, alle vier Stellen vom Ende her:

Alle vier Stellen	Chinesisch	Deutsch
10 000 (4 Nullen)	一万 (yi^{2} wan^{4}) eins + zehntausend	zehntausend (10 000)
1 000 000 (6 Nullen)	一百万 (yi^{4} bai^{3} wan^{4}) eins + hundert + zehntausend	eine Million (1 000 000)
100 000 000 (8 Nullen)	一億 (yi^{2} yi^{4}) or 一亿 (vereinfacht) eins + hundert Millionen	hundert Millionen (100 000 000)

元旦 Neujahrstag (yuan^{2} dan^{4})

Es gibt mehrere chinesische Bezeichnungen für „Neujahrstag“. Eine davon ist 元旦. 元 bedeutet „Anfang“ (siehe S. 37) und 旦 heißt „Sonnenaufgang“ (siehe nächste Seite). Die Bedeutung „Anfang des Sonnenaufgangs“ wird dabei auf den Anfang des Jahres erweitert – den Neujahrstag.

Weitere Zusammensetzungen

Auf Seite 11 habe ich den Begriff „Zusammensetzung“ in der Chineasy-Methode erklärt. Ein Beispiel für ein zusammengesetztes Zeichen in diesem Kapitel ist 明 „hell“ (siehe S. 30). Hier kommen noch einige andere zusammengesetzte Zeichen aus Bausteinen, die Sie in diesem Kapitel gelernt haben.

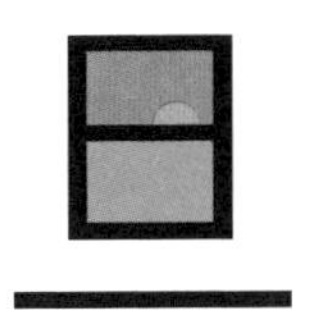

旦 Sonnenaufgang (dan^4)

日 „Sonne“ + 一 „eins“ = 旦
Sieht das Zeichen nicht genau aus wie die Sonne, die über den Horizont steigt?

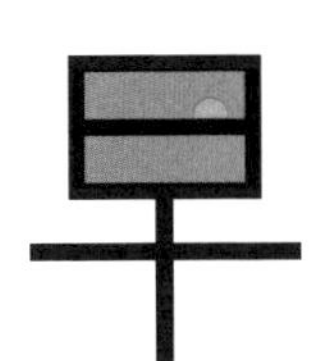

早 früher Morgen (zao^3)

日 „Sonne“ + 十 „zehn“ = 早
Sieht das Zeichen nicht aus wie die Sonne über einem Fahnenmast? Und wann werden Fahnen normalerweise gehisst? Am frühen Morgen!

Chinesische Geschenke – Uhren oder keine Uhren?

Geschenke sind ein sehr wichtiger Teil der chinesischen Kultur und stehen in Verbindung mit dem Konfuzianismus und seinem Konzept des „Gesichts“ im Sinne von „Ehre“. Das Überreichen von Geschenken begann als Respektbekundung gegenüber den Eltern. Schon lange gehört es zum konfuzianischen Mantra, die Harmonie in der Gesellschaft durch Respekt und Rituale zu erhalten.

Da das Überreichen eines Geschenks ein Symbol für die Wertschätzung gegenüber dem Empfänger ist, diktieren Etikette und Aberglaube die Gegenstände, die man sich gegenseitig schenken darf. So bringt es zum Beispiel Unglück, sich Uhren aller Art zu schenken, weil 送鐘/送钟 (song^4 zhong^1; „eine Uhr schenken“) klingt wie 送終 (song^4 zhong^1; „Bestattungszeremonie“). Obwohl Uhren jedoch Unglück bringen sollen, sind Luxusarmbanduhren heute interessanterweise ein sehr beliebtes Geschenk – die Zeiten ändern sich!

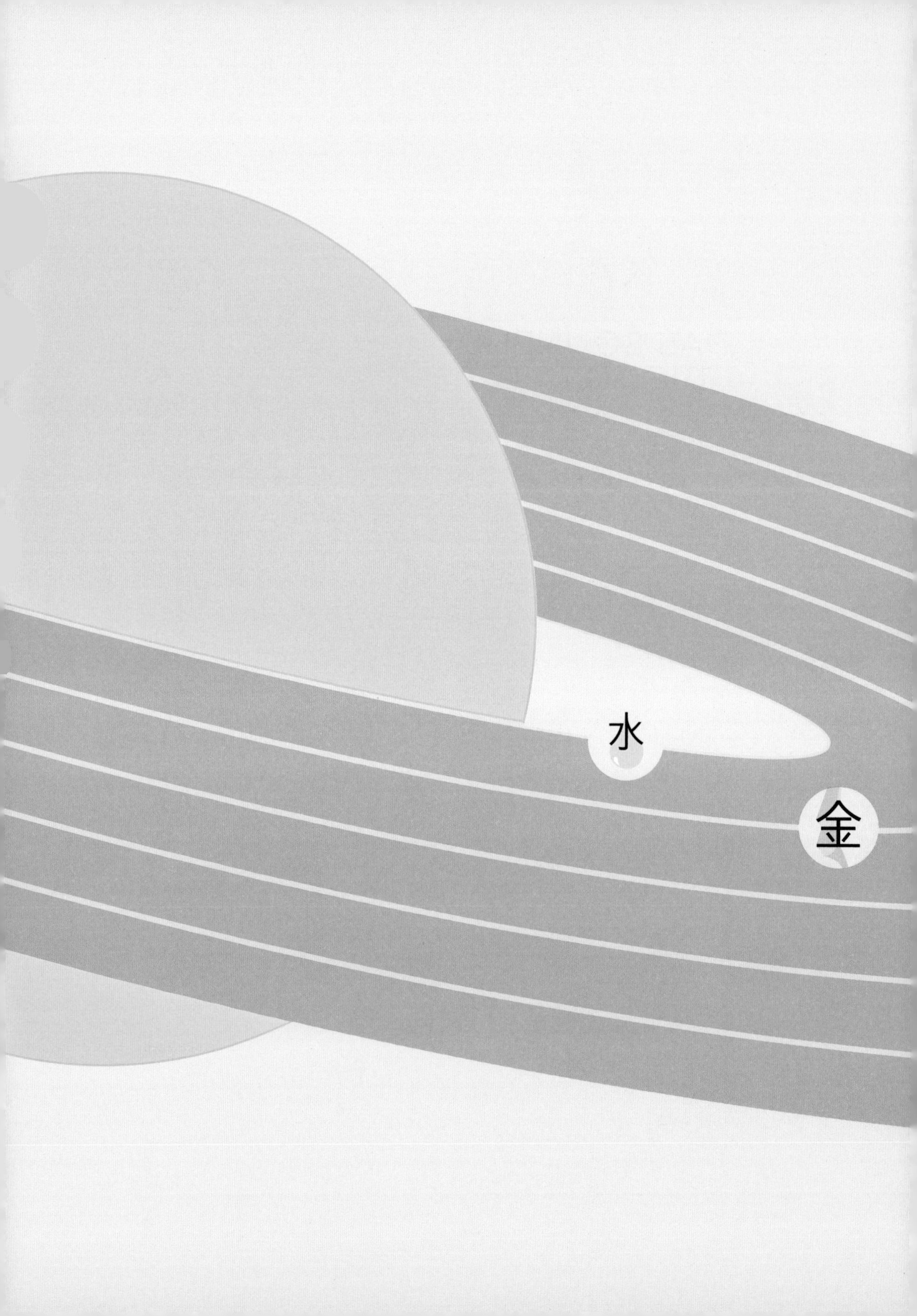
水
金

KAPITEL 2

DAS SONNENSYSTEM & DIE FÜNF ELEMENTE

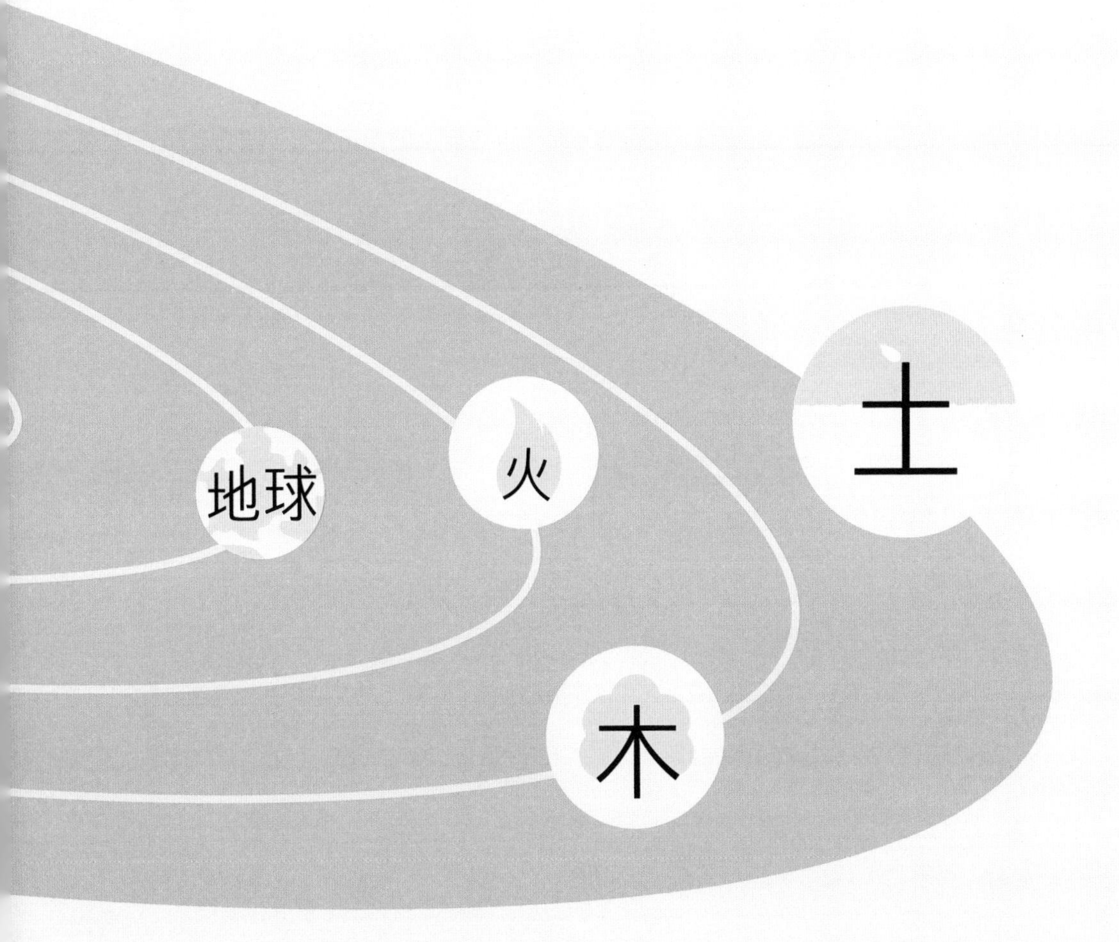

水 Wasser (shui³)

Dieses Zeichen hatte ursprünglich eine geschwungene Linie in der Mitte, die das fließende Wasser darstellte, sowie Punkte auf beiden Seiten, die Wassertropfen symbolisierten. Das moderne Zeichen kann man sich gut merken als einen Hauptfluss in der Mitte mit kleineren Zuflüssen zu beiden Seiten.

In der Form 氵 wird das Zeichen als Bestandteil von bestimmten Zusammensetzungen verwendet. 氵 ist eine verkürzte Version von 水 und wird in dieser Form „drei Tropfen Wasser" (三点水; san³ dian³ shui³) genannt.

淼 große Wasserfläche (miao³)

Wenn wir 水 „Wasser" verdreifachen, erhalten wir 淼, was so viel heißt wie „große Wasserfläche", „Wasserflut" oder „Unendlichkeit". Dieses Zeichen gehört nicht zum Grundrepertoire – eine hervorragende Gelegenheit, vor Ihren chinesischsprachigen Freunden ein bisschen anzugeben!

火 Feuer (huo³)

Dieses Zeichen imitiert die Form einer Flamme. „Feuer" ist ein häufiges Thema in der chinesischen Mythologie und es gab Götter verschiedener Rangstufen, die für 火 verantwortlich waren.

In bestimmten Zusammensetzungen nimmt das Zeichen die Form 灬 an, etwa in „kochen" 煮 (zhu³) und „braten" 煎 (jian¹).

炎 brennend heiß (yan²)

Zwei Feuer übereinander bedeuten „brennend heiß". In einem medizinischen Zusammenhang bedeutet das Zeichen „Entzündung". Genau wie im Chinesischen hat dieser Begriff auch im Deutschen etwas mit „entzünden" = „anzünden" zu tun.

焱 Flammen (yan⁴)

Wiederholt man 火 dreimal, entsteht ein Flammenmeer. Vorsicht!

炎炎 glühend heiß (yan² yan²)

brennend heiß + brennend heiß = glühend heiß

土 Boden/Erde (tu³)

Die früheste Form dieses Zeichens zeigte einen Klumpen Schlamm auf dem Boden. Die waagerechte Linie ganz unten (一) stellt den Boden dar und der Klumpen wurde im Lauf der Zeit zu einem Kreuz (十). Neben „Boden" kann 土 auch „Erde" bedeuten. Als Adjektiv verwendet, bezieht es sich auf etwas Grobschlächtiges.

木 Baum/hölzern (mu⁴)

In Orakelknochen-Inschriften zeigte dieses Zeichen einen Baum mit Wurzeln im Boden und zwei Ästen, die sich gen Himmel streckten. Im Lauf der Zeit wurde aus den beiden Ästen eine einzige waagerechte Linie (一) und der Baumstamm wurde als senkrechte Linie (丨) beibehalten. Die Wurzeln ähneln heute zwei herunterhängenden Armen, wobei einer nach links und der andere nach rechts zeigt.

Als Adjektiv kann 木 auch „hölzern" bedeuten. So heißt 木床 (mu⁴ chuang²) zum Beispiel „Holzbett" und 木門 (mu⁴ men²) „Holztür". Das Zeichen 樹/树 (shu⁴) wird ebenfalls häufig in der Bedeutung „Baum" verwendet.

林 Hain (lin²)

Verdoppeln wir 木 „Baum", erhalten wir 林 „Hain". Die Zusammensetzung 林 wird auch als Nachname verwendet und in westlicher Schreibweise als „Lin" transkribiert.

森 Wald (sen¹)

Drei 木 „Bäume" ergeben einen 森 „Wald". Die Wendung 森林 (sen¹ lin²) kann ebenfalls „Wald" bedeuten.

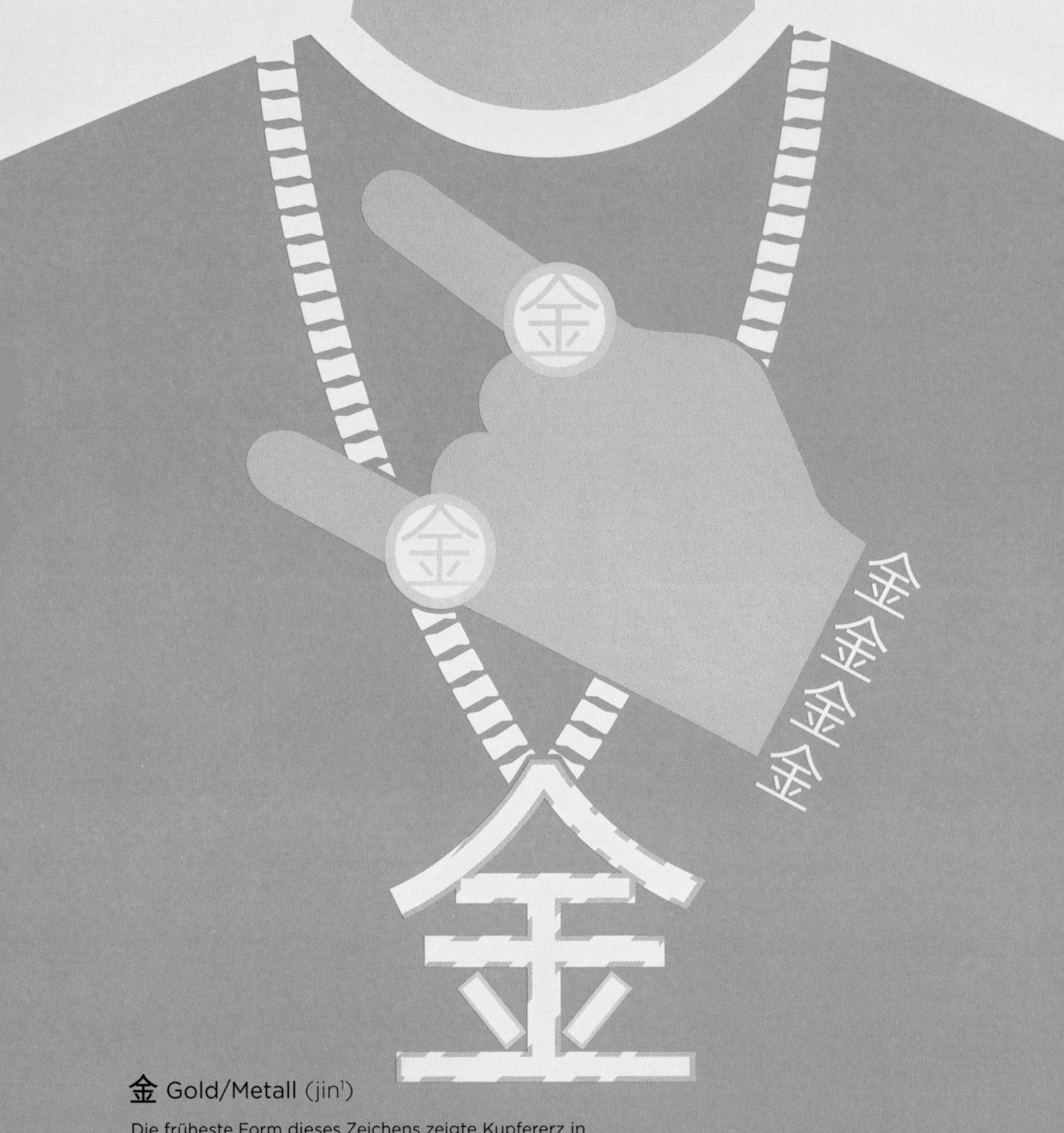

金 Gold/Metall (jin[1])

Die früheste Form dieses Zeichens zeigte Kupfererz in einem Metallbehälter und bedeutete „Metall“. Heute bedeutet das Zeichen „Gold“ oder „Geld“.

鑫 (Symbol für Wohlstand) (xin[1])

Was könnte besser für den Wohlstand sein als eine Menge Gold (金) im Geschäft? 鑫 ist ein Symbol für „Wohlstand“. Man findet dieses zusammengesetzte Zeichen häufig in den Namen von Geschäften oder sogar in Vornamen.

Das Konzept des Wu Xing

Oft werden 水, 火, 土, 木 und 金 als die chinesischen „fünf Elemente“ bezeichnet. Wir nennen die Theorie der fünf Elemente und ihrer Dynamik untereinander „Wu Xing“ 五行 (wu^3 xing^2); 五 heißt „fünf“ und 行 bedeutet „Bewegung“.

In vielen traditionellen chinesischen Forschungsgebieten wird ein System von fünf Phasen verwendet. Diese Doktrin der fünf Phasen hat immer zwei Zyklen: einen erzeugenden (生; sheng^1) und einen zerstörenden oder kontrollierenden Zyklus (克; ke^4). Im erzeugenden Zyklus füttert das Holz das Feuer, das Feuer erzeugt die Erde (bzw. Asche), die Erde trägt das Metall, das Metall reichert das Wasser an (da auch Wasser mit zugesetzten Mineralien häufig als gesünder gilt als einfaches Wasser) und das Wasser ernährt das Holz.

Im zerstörenden Zyklus teilt das Holz die Erde (wie sich die Wurzeln durch den Boden schieben), die Erde saugt das Wasser auf, hält es zurück oder verschmutzt es, das Wasser löscht das Feuer, das Feuer schmilzt das Metall und das Metall zerkleinert das Holz.

Mit den fünf Phasen werden auch die Jahreszeiten beschrieben. Holz steht für den Frühling, die Zeit des Wachstums, in der Holz und Lebenskraft entstehen. Feuer stellt den Sommer dar, die Zeit des Blühens und Größerwerdens. Metall ist der Herbst, die Zeit des Erntens und Sammelns. Wasser steht für den Winter, die Zeit des Rückzugs, wenn alles still ist. Die Erde schließlich steht für die vier Übergangszeiten.

Wu Xing geht davon aus, dass alle Phänomene im Universum in fünf elementare Eigenschaften heruntergebrochen werden können, und so kommt dieses System in der chinesischen Philosophie, Astronomie, Militärstrategie, traditionellen Medizin, Ernährungs- und Kochtheorie, den Kampfkünsten, der Astrologie, im Feng Shui (siehe S. 100) und in der Musikwissenschaft zur Anwendung. In der traditionellen chinesischen Medizin (siehe S. 151) beispielsweise gehören Leber und Gallenblase zum Holz, Herz und Dünndarm zum Feuer, der Magen zur Erde, Lungen und Haut zum Metall und Nieren und Blase zum Wasser. Die Fünf-Phasen-Theorie wird dabei sowohl in der Diagnose als auch in der Behandlung angewandt.

In der traditionellen chinesischen Musik gibt es seit den Zeiten der Zhou-Dynastie (1046–256 v. Chr.) die Überzeugung, dass „richtige“ Musik, die die Natur in Harmonie versetzt, nur auf Instrumenten gespielt werden kann, die den fünf Phasen entsprechen. Der Konfuzianismus, eine der großen chinesischen Philosophien, betont, dass die richtige Form der Musik wichtig für die Kultivierung und Veredelung des Einzelnen ist. Darüber hinaus galt die formelle Musik nach der Theorie des Quintenzirkels sowohl als moralisch erhebend als auch als Symbol für einen guten Herrscher und eine stabile Regierung.

星 Stern/Planet (xing¹)

Das Zeichen für „Stern" ist eine Kombination aus „Sonne" 日 und „Geburt/geboren werden" 生. Die alten Chinesen hielten die Sonne für etwas Ähnliches wie einen Stern. Sie hatten recht mit ihrer Annahme: Die Sonne entstand im Mittelpunkt unseres Sonnensystems, aber sie ist nur einer von Milliarden Sternen in der Milchstraße.

星 kann sich nicht nur auf einen Stern am Himmel beziehen, sondern auch auf einen Stern in der Unterhaltungsbranche.

Außerdem kann das Zeichen auch „Planet" bedeuten und ist dann eine verkürzte Form der Wendung 星球 (xing¹ qiu²). 球 bedeutet „Kugel" (siehe S. 190).

明星 heller Stern/Berühmtheit (ming² xing¹)

hell + Stern = heller Stern/Berühmtheit

Die wörtliche Bedeutung von „hell" 明 und „Stern" 星 bezieht sich auf die Menschen, die in ihrem Beruf Großes leisten. 大明星 (da⁴ ming² xing¹) ist ein „großer Star", 小明星 (xiao³ ming² xing¹) eine „kleine Berühmtheit". Zu „groß" und „klein" siehe auch Seite 120.

Die Planeten

Auch wenn die alten Chinesen keinen Unterschied zwischen Sternen und Planeten machten, bemerkten sie doch, dass die Bewegungen der fünf sichtbaren Planeten (siehe unten) sich von denen anderer Himmelskörper unterscheiden. Sie verstanden sogar, dass Planeten um die Sonne kreisen. Statt ein neues Zeichen für diese fünf Planeten zu erschaffen, nannten unsere Vorfahren sie 行星 („bewegliche Sterne", xing[2] xing[1]). Die Namen der einzelnen Planeten basierten auf ihren Farben, die wiederum mit den fünf Elementen in Verbindung stehen. Mehr zu den Zeichen für „Erde" auf Seite 151.

水星 Merkur (shui[3] xing[1])

Merkur ist der „Wasserstern" 水星, weil er von der Erde aus blau erscheint.

金星 Venus (jin[1] xing[1])

Nach der Sonne und dem Mond ist die Venus das hellste Objekt am Himmel. Da sie funkelt wie Gold, ist Venus im Chinesischen der „Goldstern" 金星. Venus wurde erstmals im 詩經 (*Buch der Lieder*; shi[1] jing[1]) erwähnt, der ältesten Sammlung chinesischer Poesie mit 305 Werken vom 11. bis zum 7. Jahrhundert v. Chr.

火星 Mars (huo[3] xing[1])

Heute wissen wir, dass die rote Farbe des Planeten Mars von einer Rostschicht auf seiner Oberfläche stammt. Unsere Vorfahren glaubten jedoch, dass der Planet in Flammen steht, daher war Mars für sie der „Feuerstern" 火星.

木星 Jupiter (mu[4] xing[1])

Jupiter ist der größte Planet in unserem Sonnensystem. Seine Oberfläche ist von dichten roten, gelben, weißen und braunen Wolken bedeckt und aus diesem Grund wird er „hölzerner Stern" 木星 genannt. Schon im 2. Jahrtausend v. Chr. berechneten die Chinesen, dass Jupiter zwölf Jahre für einen Umlauf um die Sonne braucht.

土星 Saturn (tu[3] xing[1])

Der Planet Saturn sieht wegen seiner gasförmigen Zusammensetzung gelblich-ockerfarben aus. Da die Farbe ausgetrockneter Erde 土 ähnelt, wurde aus dem Saturn der „Erdstern" 土星.

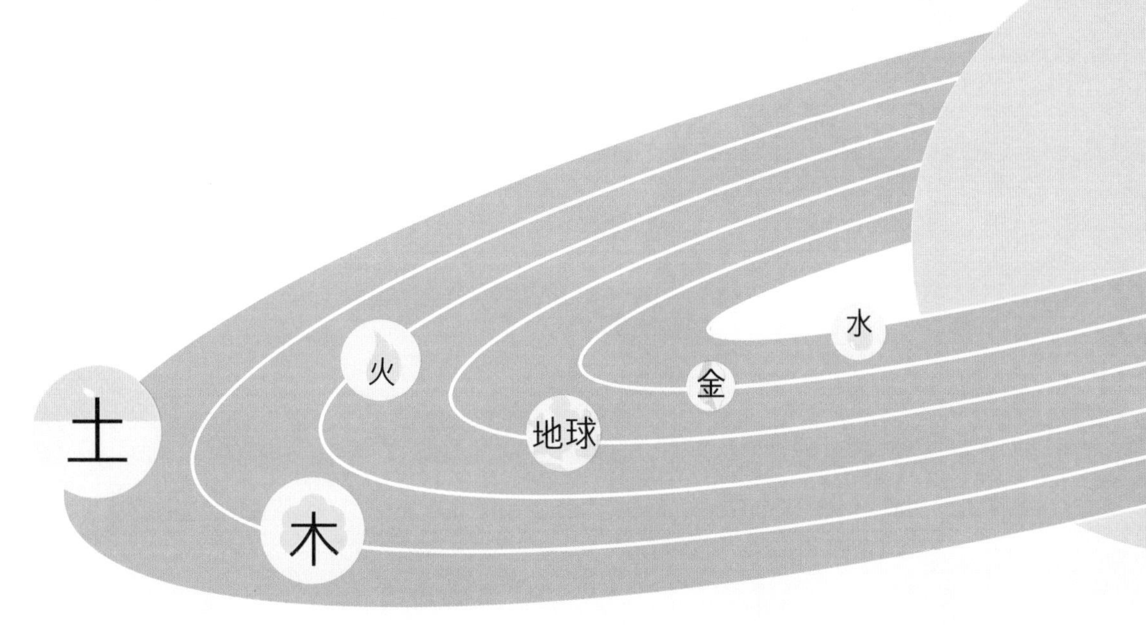

光 Licht (guang¹)

In alten Orakelknochen- und Bronzeschriften zeigte dieses Zeichen einen knienden Mann, der Feuer auf seinem Kopf trug. Seine Bedeutung entwickelte sich weiter zum „Licht", das Dinge erleuchtet und sichtbar macht.

光明 hell (guang¹ ming²)

Licht + hell = hell

Das Licht (光), das so hell (明) ist, bringt Hoffnung für die Zukunft und gibt uns etwas, auf das wir uns freuen können. Die Wendung 光明 bedeutet, dass die Zukunft strahlend oder vielversprechend ist.

光年 Lichtjahr (guang¹ nian²)

Licht + Jahr = Lichtjahr

月光 Mondlicht (yue⁴ guang¹)

Mond + Licht = Mondlicht

日光 Sonnenlicht (ri⁴ guang¹)

Sonne + Licht = Sonnenlicht

火光 Feuerschein (huo³ guang¹)

Feuer + Licht = Feuerschein

天 Himmel (tian[1])

In der Orakelknochenschrift zeigte dieses Zeichen einen Menschen mit Kopf. In der Siegelschrift wurde aus dem Kopf eine waagerechte Linie, die für den Himmel über dem Kopf stand. Heute besteht dieses Zeichen aus „eins" 一 und „groß" 大 (siehe S. 63), es zeigt also einen Menschen, der seine Arme öffnet (大) und unter dem Himmel (一) steht. Es kann auch „Tag" oder „Himmel" im Sinne von „Jenseits" bedeuten.

天天 jeden Tag (tian[1] tian[1])

Tag + Tag = jeden Tag

Neben der Bedeutung „jeden Tag" wird diese Wendung auch adjektivisch im Sinne von „alltäglich" verwendet.

明天 morgen (ming[2] tian[1])

hell/unmittelbar folgend + Tag = nächster Tag/ morgen

Diese Wendung ist austauschbar mit der Wendung 明日 (siehe S. 31).

天生 angeboren (tian[1] sheng[1])

Hier bedeutet 生 „geboren mit". „Angeboren" bezieht sich auf etwas, das man seit dem Tag der Geburt besitzt. Diese Wendung kann auch „von Natur aus" in Bezug auf eine Fähigkeit heißen, mit der man geboren wird.

陰 Yin (yin[1])

Yin bedeutet „weiblich", „wolkig", „dunkel", „zwielichtig", „geheim" oder, im Zusammenhang mit Elektrizität, „negativ geladen". Die traditionelle Form dieses Zeichens, 陰, ist eine Kombination aus „Hügel" 阝 (fu[4]), „Wolke" 云 (siehe S. 89) und „jetzt" 今 (jin[1]). Wenn sich Wolken über einem Hügel sammeln, dann ist es dunkel.

Die vereinfachte Form des Zeichens, 阴, besteht aus „Hügel" 阝 und „Mond" 月. An dieser Stelle kann man sich gleich merken, dass 阝 wie auch „Gras" 艹 (siehe S. 204) nie als eigenes Zeichen auftreten.

光陰/光阴 Zeit (guang[1] yin[1])

Diese Wendung ist eine poetische Ausdrucksweise für einen langen Zeitraum. Es hat meist eher die Bedeutung „mit der Zeit".

陽 Yang (yang²)

陽, die traditionelle Form von Yang, ist eine Kombination aus „Hügel" 阝, „Sonne" 日 oder „Sonnenaufgang" 旦 und 勿 (wu⁴). In der traditionellen Form bedeutet 昜 „hell" und zeigte ursprünglich die Sonne 日 und ihre Strahlen 勿. Einige Wissenschaftler glauben, dass 勿 die Form des Mondes bezeichnet und die Kombination aus „Sonne" und „Mond" so viel wie „hell" bedeutet, weil sie in alten Zeiten die wichtigsten Lichtquellen waren.

阳, die vereinfachte Form des Zeichens, besteht aus „Hügel" 阝 und „Sonne" 日. Es bedeutet „männlich", „Sonne", „Sonnenlicht" oder, im Zusammenhang mit Elektrizität, „positiv geladen".

陽光/阳光 Sonnenlicht (yang² guang¹)

阳光 wird synonym mit der Wendung 日光 (siehe S. 54) benutzt. Beide sind sehr häufig.

太陽/太阳 Sonne (tai⁴ yang²)

太 bedeutet „extrem" oder „übermäßig" (siehe S. 63). 太阳 hat dieselbe Bedeutung wie 日 (siehe S. 28), wird aber in der gesprochenen Sprache häufiger verwendet.

Zum Weiterlesen

Das Konzept von Yin und Yang

In der chinesischen Philosophie sind Yin und Yang die grundlegenden „Bausteine", die man braucht, um zu begreifen, wie das Universum funktioniert. Um das chinesische Volk und seine Kultur zu verstehen, ist es von zentraler Bedeutung, das Konzept von Yin und Yang (Yin-Yang) zu kennen.

Yin und Yang sind ein philosophisches System, das alle Wissensdisziplinen in der chinesischen Kultur erklärt. Yin werden die Eigenschaften langsam, weich, formbar, verdünnt, kalt, nass, wolkig, dunkel, zwielichtig, geheim und passiv zugeschrieben; es ist mit Wasser, Erde, dem Mond, Weiblichkeit, der Nacht und negativer elektrischer Ladung verknüpft. Yang gilt als schnell, hart, fest, konzentriert, heiß, trocken und aggressiv; es wird mit Feuer, Himmel, der Sonne, Männlichkeit, dem Tag und positiver elektrischer Ladung in Verbindung gebracht. Yin ist zurückgezogen und nach innen gerichtet, während Yang nach außen geht und Wachstum verheißt. Yin und Yang sind jedoch weder statisch noch absolut, und nichts ist vollkommen Yin oder ganz und gar Yang. So, wie der Tag allmählich in die Nacht übergeht, verändert sich das Wesen von Yin und Yang im Lauf der Zeit.

Das „Tai-Chi" 太極/太极 (tai^{4} ji^{2}; „oberste/-r/-s, ultimativ")-Diagramm zeigt, dass Yin (der rosafarbene Bereich) und Yang (der blaue Bereich) voneinander abhängen. Das eine kann nicht ohne den anderen existieren, daher müssen sie einen niemals endenden Balanceakt vollziehen; wo ein Zustand des äußersten Yin erreicht wird, tritt Yang auf den Plan. Wo das eine zunimmt, nimmt das andere ab. Nur zusammen können sie ein Ganzes bilden.

Jede Lebensform ist eine Kombination aus Yin und Yang. Beim Menschen bedeutet dies, dass jeder Mann eine weibliche Seite hat und jede Frau eine männliche. In anderen Teilen der Natur ist die Grenze zwischen Yin und Yang vielleicht sogar noch weniger deutlich. Manche Blüten haben männliche und weibliche Teile und einige weibliche Fische können ihr Geschlecht wechseln, wenn es zu wenige Männchen gibt.

In der traditionellen chinesischen Medizin ist man nur dann gesund, wenn Yin und Yang im Gleichgewicht sind. Ohne die wärmenden Eigenschaften von Yang kann ein Übermaß an Yin zu Kreislaufproblemen, kalten Gliedern, blasser Haut und Energiemangel führen. Ein Übermaß an Yang dagegen kann zu Kopfschmerzen, Nasenbluten, Augen- und Halsentzündungen, Hautrötungen, Reizbarkeit und manischem Verhalten führen. Nach dem Prinzip von Yin und Yang werden dann chinesische Medikamente verschrieben, um Ungleichgewichte auszugleichen und die Balance wiederherzustellen.

In der Philosophie stehen Yin und Yang für Wahrheit und Lüge in dem Sinne, dass nichts absolut wahr oder falsch ist. Seit Jahrtausenden sind die Chinesen sich bewusst, dass es keine klare Grenze zwischen Ja und Nein, Richtig und Falsch oder Gut und Böse gibt.

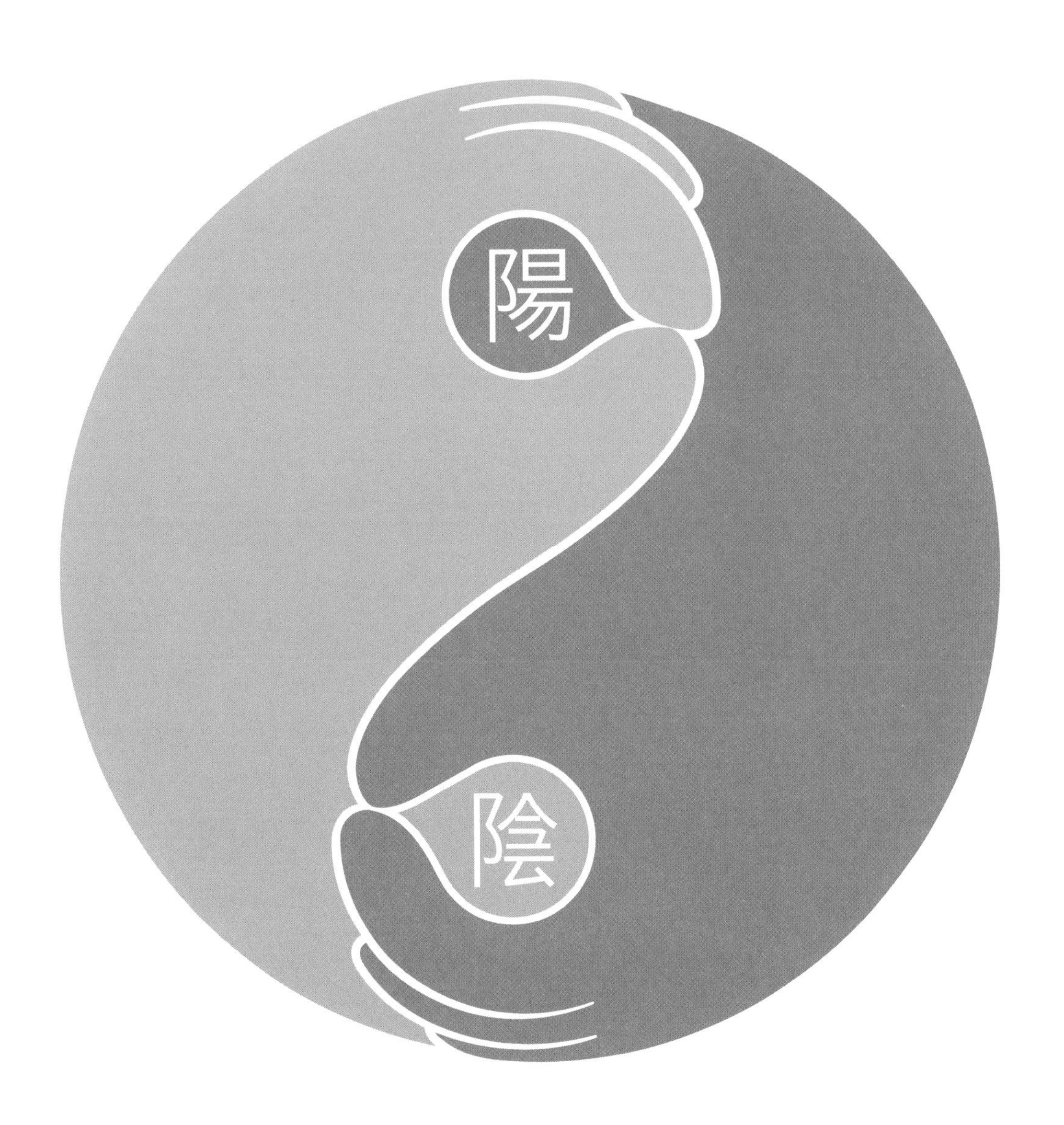
陽
陰

父
巫
佛

KAPITEL 3

MENSCHEN

人 Mensch (ren²)

Das Zeichen für „Mensch" sieht aus wie ein gehender Mensch von der Seite. Da die meisten chinesischen Nomen nicht zwischen Singular und Plural unterscheiden, kann das Zeichen auch „Leute" heißen.

In der Form 亻 wird das Zeichen als Bestandteil in bestimmten Zusammensetzungen verwendet. Ein Beispiel dafür ist „Buddha" auf Seite 82.

从 folgen (cong²)

Dieses Zeichen besteht aus zwei „Mensch"-Bausteinen. Ein Mensch führt, der andere folgt ihm auf den Fuß. Dies ist die vereinfachte Form des Zeichens, die traditionelle Form ist 從.

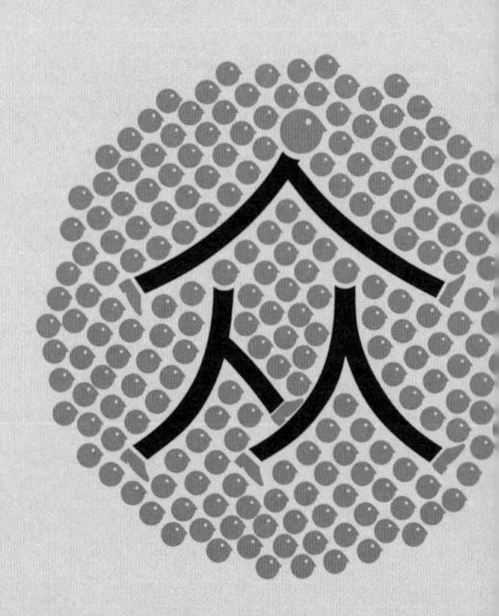

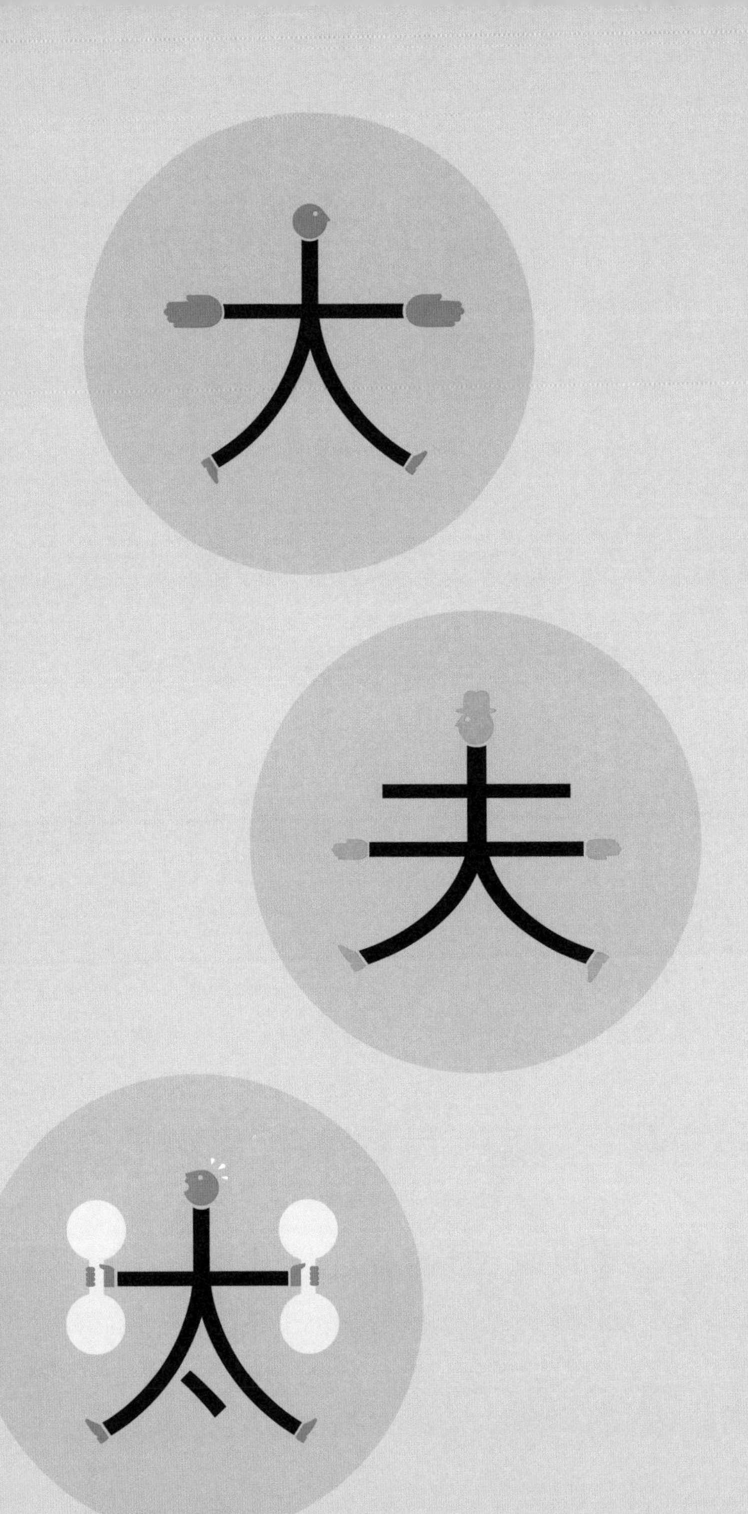

众 Menschenmenge (zhong⁴)

Drei Bausteine für „Mensch" ergeben eine Menschenmenge. Dies ist die vereinfachte Form, die traditionelle Form dieses Zeichens sieht so aus: 眾.

大 groß (da⁴)

Dieses Zeichen zeigt einen Menschen, der seine Arme ausbreitet, als wolle er sagen: „SO groß war das!" Neben „groß" heißt 大 auch „der Älteste". So bedeutet zum Beispiel 哥 (ge¹) „älterer Bruder" und 大哥 (da⁴ ge¹) ist der „älteste Bruder"; ebenso ist 姐 (jie³) die „ältere Schwester" und 大姐 (da⁴ jie³) die „älteste Schwester".

夫 Mann (fu¹)

„Mann" ist ein zusammengesetztes Zeichen aus „groß" und einer zusätzlichen Linie ganz oben, die man sich als breite Schultern vorstellen kann. Ursprünglich steht diese Linie für die Haarnadeln in der Hochsteckfrisur der Männer.

太 zu viel (tai⁴)

Diese Zusammensetzung besteht aus dem Zeichen für „groß" und einem Strich unter dem Zeichen, der etwas noch Größeres andeutet. Es bedeutet auch „extrem" oder „übermäßig".

人人 jeder
(ren^2 ren^2)

Mensch + Mensch = jeder

Wenn wir „Mensch“ verdoppeln, wird daraus „jeder“.

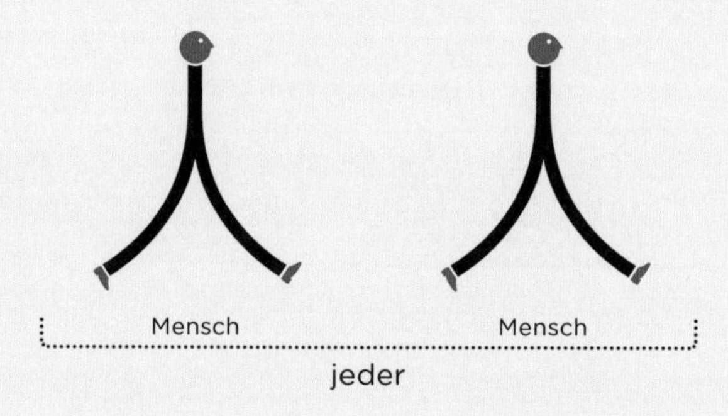

大人 Erwachsener
(da^4 ren^2)

groß + Mensch = Erwachsener

Die moderne Bedeutung von „großer Mensch“ ist „Erwachsener“. Traditionell bezog sich die Wendung auf Menschen von höherem oder offiziellem Rang.

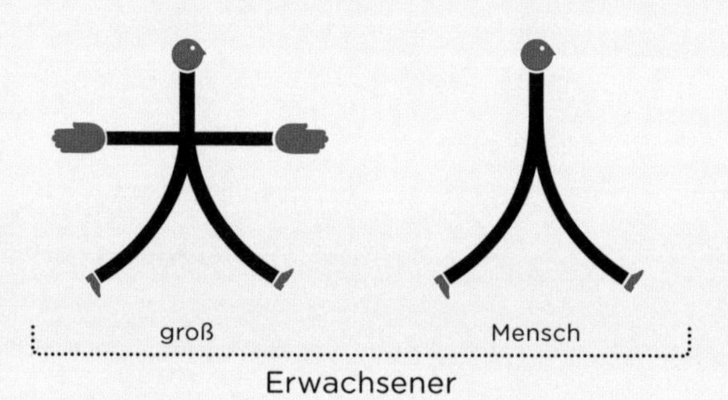

大众 Öffentlichkeit
(da^4 zhong^4)

groß + Menschenmenge = Öffentlichkeit

Die Öffentlichkeit besteht aus einer großen Gruppe von Menschen.

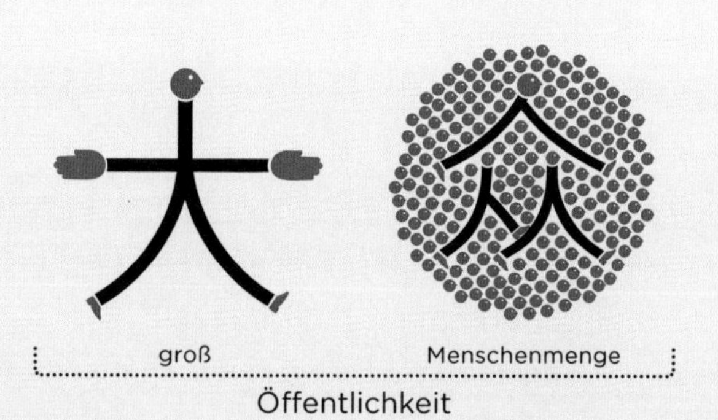

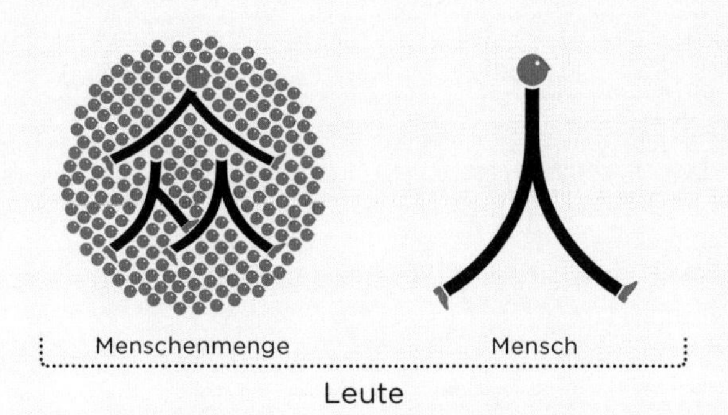

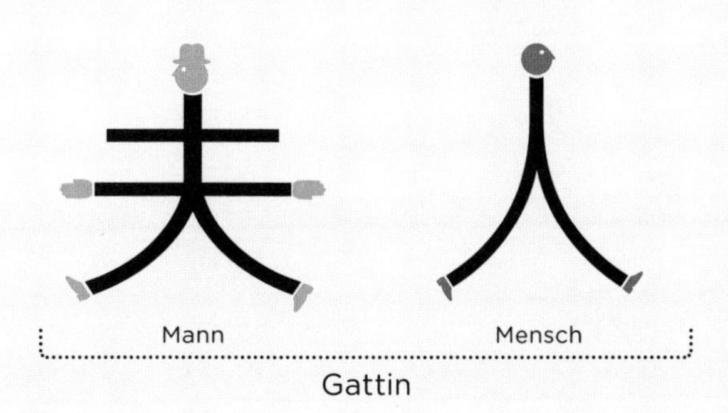

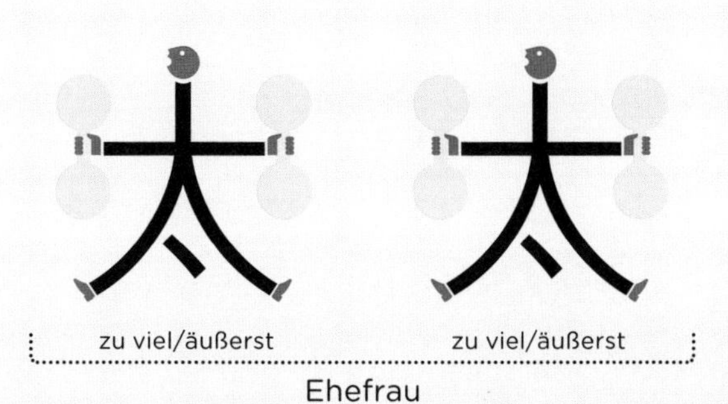

众人 Leute

(zhong⁴ ren²)

Menschenmenge + Mensch = Leute

Eine Menschenmenge besteht aus vielen verschiedenen Menschen. Diese Wendung bedeutet auch „jeder".

夫人 Gattin

(fu¹ ren²)

Mann + Mensch = Gattin

Im alten China wurde die Ehefrau nach der Heirat zum Eigentum des Mannes – sie war der Mensch des Ehemanns.

太太 Ehefrau

(tai⁴ tai)

äußerst + äußerst = Ehefrau

Eine sehr häufige Wendung: Durch Verdoppelung von „äußerst" wird daraus „Ehefrau". Die alten Chinesen schmeichelten ihrem Chef, indem sie seine Frau „äußerst äußerst" nannten.

女 Frau/weiblich (nü³)

In Orakelknochen-Inschriften stellt dieses Zeichen eine Frau dar, die auf dem Boden kniet, die Arme vor dem Körper gefaltet. Dies war ein Zeichen der Unterordnung, da die Frau als Besitz des Mannes galt. Der Ursprung dieses Zeichens bereitet mir von jeher Bauchschmerzen, also stelle ich es im Chineasy-System als unabhängige, geistreiche und feminine Dame dar. Im Zusammenhang mit Familienbeziehungen trägt 女 die Bedeutung „Tochter". Als Adjektiv bedeutet es „weiblich".

女人 Frau/weiblich (nü³ ren²)

weiblich + Mensch = weiblicher Mensch = Frau/weiblich

大女人 starke Frau/Feministin (da⁴ nü³ ren²)

groß + Frau = starke Frau/Feministin

Die Wendung 大女人 bedeutet „starke Frau" oder „Feministin". Wenn wir uns auf eine Frau von kräftiger Statur beziehen, verwenden wir eher 胖女人 als 大女人. 胖 (pang⁴) bedeutet „mollig" oder „dick".

男 Mann/männlich (nan²)

In Orakelknochen-Inschriften zeigte dieses Zeichen einen Mann mit „Kraft“ oder „Stärke“ 力 (siehe S. 195) in den Armen, der auf einem Feld 田 (tian²) arbeitete. Die beiden Bestandteile standen damals noch nebeneinander. Das Zeichen entwickelte sich weiter und in der modernen Form steht 力 nun unter 田 und es wird daraus 男. Als Adjektiv bedeutet das Zeichen ‚männlich“.

男人 Mann/männlich (nan² ren²)

männlich + Mensch = männliche Person = Mann

大男人 großer Mann/Chauvinist (da⁴ nan² ren²)

groß + Mann = [wörtlich] großer Mann = Chauvinist

Diese Wendung kann sich in ihrem wörtlichen Sinn auf einen Mann von großer Statur beziehen oder im übertragenen Sinn auf einen Chauvinisten.

父 Vater (fu⁴)

Dieses Zeichen zeigt eine Hand mit einer Axt. Im alten China war der Vater derjenige, der mit der Axt das Holz für die Familie schlug, damit alle es warm und gemütlich hatten.

母 Mutter (mu³)

Seit seiner frühesten verzeichneten Form in Orakelknochen-Inschriften zeigt dieses Zeichen die Brüste einer Mutter in Anspielung auf das Nähren eines Kindes. Die ursprünglichen Formen zeigten eine kniende oder stehende Frau, aber die moderne Form ist gedreht und hat die langen Striche verloren, die ihre Beine darstellten. Jetzt fällt es Ihnen sicher ganz leicht, sich 母 zu merken, da Sie wissen, wie das Zeichen zu seiner Form kam.

Dieses Zeichen bedeutet auch „weiblich", wenn es sich auf Tiere bezieht (siehe S. 117).

父母 Vater und Mutter/Eltern (fu⁴ mu³)

Vater + Mutter = Eltern

爸 Vater (ba⁴)

Diese umgangssprachliche Bezeichnung ist eine Kombination aus „Vater“, das die Bedeutung trägt, und „hoffen“ 巴 (ba¹), das die Aussprache angibt (eine Erklärung solcher Phonogramme oder piktophonetischen Zeichen finden Sie auf Seite 15). Wenn wir das Zeichen verdoppeln, erhalten wir die Wendung 爸爸 (ba⁴ ba⁴), die „Papa“ bedeutet und ganz ähnlich klingt wie in anderen Sprachen.

媽 Mutter (ma¹)

Dieses Zeichen ist eine Kombination aus „Frau" und „Pferd" 馬 (siehe S. 105). Es klingt wie *ma*, das englische Wort für „Mama". Wenn wir das Zeichen verdoppeln, haben wir die Wendung 媽媽 (ma¹ ma¹), die tatsächlich auch genau das bedeutet – „Mama". Die vereinfachte Form sieht so aus: 妈.

爸媽 Papa und Mama (ba⁴ ma¹)

Im Chinesischen kommt der Vater zuerst, also „Papa und Mama", nicht „Mama und Papa".

子 Sohn (zi³)

Dieses Zeichen mag auf den ersten Blick aussehen wie einfaches Gekritzel, aber es basiert auf einer sehr niedlichen Orakelknochen-Inschrift, die ein Baby mit übergroßem Kopf und feinen Härchen zeigt.

Neben „Sohn" kann 子 auch „Kind", „Samen" oder „kleiner Gegenstand" (siehe „Elektron", Seite 98) heißen und wird manchmal verwendet, um ein junges Tier oder einen jungen Menschen zu bezeichnen, etwa in „junger Mann".

Man sieht 子 auch häufig als Suffix zusammen mit anderen einsilbigen Wörtern (wobei die Aussprache in diesen Fällen etwas anders ist). Ein Beispiel dafür ist „Auto" 車子 (che¹ zi; siehe S. 154).

Wenn wir „Frau" und „Sohn" kombinieren, bilden wir das sehr nützliche Zeichen 好, das so viel heißt wie „gut" oder „OK"; siehe S. 123).

Vater und Sohn

Mutter und Sohn

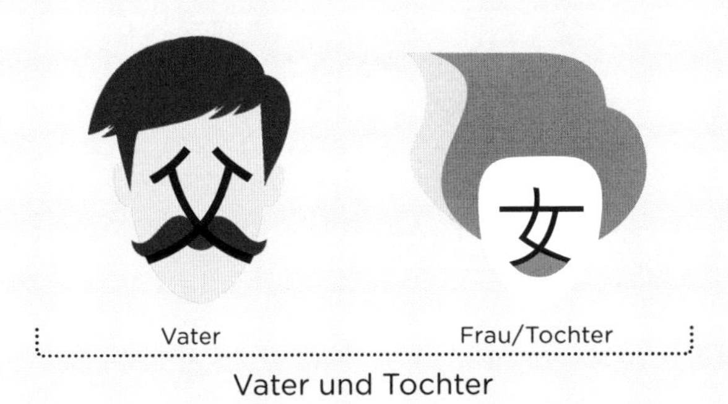

Vater und Tochter

Mutter und Tochter

父子 Vater und Sohn (fu⁴ zi³)

Vater + Sohn

母子 Mutter und Sohn (mu³ zi³)

Mutter + Sohn

父女 Vater und Tochter (fu⁴ nü³)

Vater + Frau/Tochter

母女 Mutter und Tochter (mu³ nü³)

Mutter + Frau/Tochter

王 König (wang²)

Die früheste Form dieses Zeichens in Orakelknochen- und Bronze-Inschriften zeigte eine Kriegsaxt, eine mächtige Waffe in alten Zeiten. Damals jagte ein Herrscher – der meist gleichzeitig der militärische Anführer war – mit der Axt seinen Feinden Angst ein und trieb seine Soldaten an. So wurde diese Waffe zu einem Symbol der Macht und stand schließlich für den höchsten Herrscher im Land: den König.

Das Zeichen 王 wird auch als Nachname verwendet. Je nachdem, woher die Familie stammt, wird es jedoch unterschiedlich ausgesprochen: „Wang“, „Wong“ oder „Ong“.

主 Meister (zhu³)

In Orakelknochen-Inschriften bildete dieses Zeichen eine Fackel über einem Stapel Holz ab. In der Siegelschrift wurde ein komplizierteres Zeichen daraus, das (von oben nach unten) die Flamme der Fackel, die Feuerschale (die Metallschale für Brennmaterial und Flamme), den Fackelstiel und den Fackelhalter darstellte. Heute kann das Zeichen auch „Gastgeber", „Besitzer" oder „Gott" bedeuten, aber die häufigste Bedeutung ist „Meister".

工 Arbeit (gong[1])

Dieses Zeichen ähnelt einem Doppel-T-Träger (einem Stahlträger, der auf dem Bau verwendet wird), deshalb kann man sich einfach merken, was es bedeutet: „Arbeit". Ursprünglich basierte es auf einem primitiven Zimmermannswinkel, mit dem rechte Winkel gemessen wurden. Das Zeichen hat sich in seiner jahrtausendealten Geschichte nicht sehr verändert; heute wird es in Wendungen benutzt, die mit körperlicher Arbeit zu tun haben oder mühsamen Dingen.

工人 Arbeiter (gong[1] ren[2])

Arbeit + Mensch = Arbeiter

人工 künstlich (ren[2] gong[1])

Mensch + Arbeit = [wörtlich] Arbeit eines Menschen = menschengemacht = künstlich

女工 Arbeiterin (nü[3] gong[1])

Frau + Arbeit = [wörtlich] Frauenarbeit oder Handarbeit = Arbeiterin

Diese Wendung ist synonym zu 女工人.

巫 Schamane/Hexe (wu¹)

Dieses Zeichen kombiniert zwei „Menschen"-Bausteine mit dem Zeichen für „Arbeit". Können Sie sich vorstellen, in einer Zeit zu leben, in der „Hexe" ein normaler Beruf war? Im alten China wurden Schamanen von Kaisern und Beamten wie von gewöhnlichen Bürgern für ihre Rolle als spirituelle Medien respektiert, die heilten, beteten, opferten, wahrsagten und als Regenmacher fungierten.

Da das Zeichen nicht geschlechtsspezifisch ist, bedeutet es gelegentlich auch „Zauberer".

男巫 Zauberer (nan² wu¹)

männlich + Hexe/Zauberer = Zauberer

女巫 Hexe (nü³ wu¹)

weiblich + Hexe/Zauberer = Hexe

丑 Clown (chou³)

In der chinesischen Oper wird die komische Rolle 丑 genannt. Sie lässt sich mit den komischen Figuren in Shakespeare-Werken vergleichen, kann aber von einem Mann wie von einer Frau, ob jung oder alt, gespielt werden. Clowns traten schon in der Frühlings- und Herbstperiode (771–476 v. Chr.) in der Oper auf und hatten den höchsten Rang in der Theaterwelt inne.

Im Zuge der Vereinfachung, die 1949 einsetzte (siehe S. 18), wurde die Bedeutung von 丑 auf „hässlich" erweitert. Die traditionelle Form von „hässlich" lautet 醜 (chou³), eine Kombination aus „Weingefäß" 酉 (siehe S. 205) und „Geist" 鬼 (gui³).

士 Gelehrter (shi⁴)

Setzt man „zehn“ 十 auf „eins“ 一, entsteht daraus das Zeichen für „Gelehrter“. Im alten China konnten die wenigsten Menschen lesen und schreiben. Die Gelehrten verstanden als Einzige Mathematik und Literatur. Sie hatten den höchsten Rang in der Hierarchie der traditionellen chinesischen Gesellschaft, gefolgt von Bauern, Arbeitern und Händlern.

天主 Gott
(tian^{1} zhu^{3})

Himmel + Besitzer = Besitzer des Himmels = Gott

(besonders für den christlichen Gott verwendet)

Hängen wir „Religion“ 教 (jiao^{4}) an diese Wendung an, haben wir die chinesische Bezeichnung für „Katholizismus“ 天主教 (tian^{1} zhu^{3} jiao^{4}).

天子 Kaiser
(tian^{1} zi^{3})

Himmel + Sohn = Sohn des Himmels (kaiserlicher Titel der chinesischen Monarchen auf der Grundlage des alten philosophischen Konzepts des Himmelsmandats) = Kaiser

天 子

Himmel Sohn

Kaiser

女王 Königin
(nü^{3} wang^{2})

weiblich + König = Königin

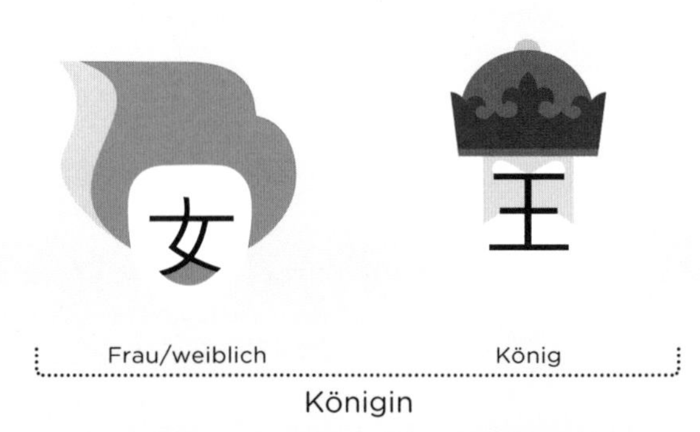

王子 Prinz
(wang^{2} zi^{3})

König + Sohn = Königssohn = Prinz

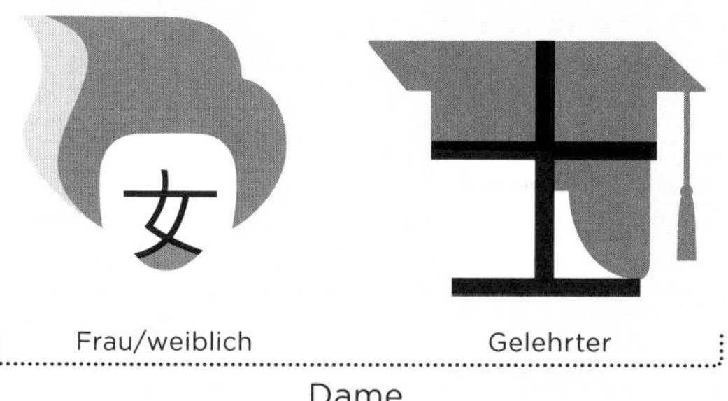

女士 Dame
(nü³ shi⁴)

Gelehrte waren im alten China hoch angesehen. Als Ausdruck der Höflichkeit bedeutet „weiblicher Gelehrter" so viel wie „Dame".

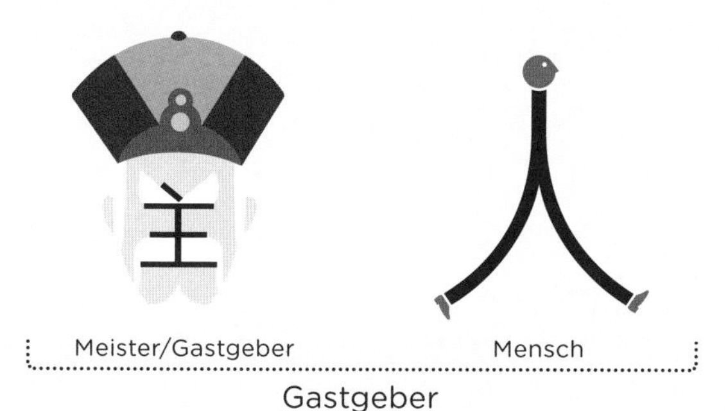

主人 Gastgeber
(zhu³ ren²)

Diese Wendung hat je nach Kontext mehrere mögliche Bedeutungen, zum Beispiel:

Gastgeber + Mensch = Gastgeber (Mensch, der ein Fest ausrichtet)

Meister + Mensch = Meister (Mensch, für den andere Menschen arbeiten)

Besitzer + Mensch = Besitzer (Mensch, der etwas besitzt)

Frau/weiblich Meister/Gastgeber Mensch

Gastgeberin

女主人 Gastgeberin
(nü³ zhu³ ren²)

weiblich + Meister/Gastgeber + Mensch = Gastgeberin

男主人 Gastgeber
(nan² zhu³ ren²)

männlich + Meister/Gastgeber + Mensch = Gastgeber/Besitzer

佛 Buddha (fo²)

Dieses Zeichen ist eine Kombination aus der Form von „Mensch" in Zusammensetzungen 亻 und „nicht" 弗 (fu²). Die Bestandteile des Zeichens geben eins der Grundkonzepte des Buddhismus sehr schön wieder: Es geht nicht um den Menschen (亻), es ist eine Art zu leben und gibt dem Leben einen Sinn. Wenn wir uns „nicht" (弗) um unsere Wünsche als Menschen kümmern müssen, erreichen wir die Erleuchtung und werden zum „Erweckten" – genau wie Buddha.

Buddhismus, Taoismus und Konfuzianismus – die Säulen der chinesischen Gesellschaft

Das Leben vieler Chinesen ist in hohem Maße von Buddhismus, Taoismus und Konfuzianismus geprägt, selbst wenn sie nicht religiös sind oder einer anderen Glaubensrichtung angehören. Zusammen bieten diese drei Doktrinen eine Orientierungshilfe, wie die Gesellschaft funktionieren sollte und was ihre Tugenden sein sollten.

Der Konfuzianismus geht auf Konfuzius (551–479 v. Chr.) zurück und ist ein ethisch-philosophisches System, das das Verhalten der Menschen in der Gesellschaft lenkt. Bedeutung erlangte der Konfuzianismus, nachdem Kaiser Wu ihn in der Han-Dynastie (206 v. Chr. – 220 n. Chr.) als Staatsideologie übernommen hatte. Die Prinzipien des Konfuzianismus spielten eine wesentliche Rolle in der Ausbildung von Werten, Kultur und Mentalität des chinesischen Volks. Er legte auch eine strikte soziale Hierarchie fest – ein bequemes Werkzeug für die Mächtigen. Im Konfuzianismus gehört jeder zu einer der verschiedenen sozialen Klassen und Ränge. Der Platz eines Menschen in der Hierarchie bestimmt sowohl sein Verhalten als auch, wie er durch die Gemeinschaft bewertet wird.

Ich bin in einer Gesellschaft aufgewachsen, in der man uns beibrachte, dass Lehrer und Eltern immer recht haben. 天下無不是的父母 („Eltern können niemals unrecht haben") gehörte zu den Redewendungen, die jedes Kind aufsagen konnte. Man lehrte uns, gehorsam zu sein. Wir lernten, uns innerhalb der sozialen Richtlinien zu bewegen, um als Gesellschaft Harmonie zu erlangen. Man brachte uns dazu, unsere Gefühle, Kreativität, ungewöhnlichen Vorstellungen und verrückten Ideen zu unterdrücken.

Der Buddhismus kam vor rund 2000 Jahren nach China und entwickelte sich zur wichtigsten Religion in der chinesischsprachigen Welt. Drei Bereiche beeinflusste er ganz besonders: Literatur, Kunst und Ideologie. Ich weiß noch, wie meine Großmutter, eine fromme Buddhistin, jeden Tag um halb vier aufstand und drei Stunden betete, bevor sie ihre Morgenübungen im Park verrichtete. Sie konnte die wichtigsten buddhistischen Texte auswendig rezitieren: das Lotus-Sutra (妙法蓮華經), Nīlakantha Dhāranī (大悲咒) und das Diamant-Sutra (金剛經). Eine kürzere, aber ähnliche Prozedur fand noch einmal nachmittags statt. Diese tägliche Routine behielt meine Großmutter über mehr als fünfzig Jahre bei, bis sie zu gebrechlich wurde.

Zu Hause stand ich unter dem Einfluss des Buddhismus und in der Schule sollte ich strikt den Prinzipien des Konfuzianismus folgen, aber als rebellisches Mädchen stürzte ich mich im Alter von neun Jahren auf die Philosophie des Taoismus, der in das 3. Jahrhundert v. Chr. zurückgeht. Ich studierte die alten Texte I-Ching und Tao-Te Ching und die Lehren von Chuang Tzu und glaubte an die Konzepte des Wu-Wei (無爲/无为; „handeln ohne Mühe") und der Natürlichkeit. Um Natürlichkeit zu erlangen, muss man sich vom Verlangen befreien und die Einfachheit schätzen lernen.

In vielen Teilen der chinesischsprachigen Welt mischen sich Taoismus und Buddhismus mit Mythologie und anderen Volksreligionen sowie Philosophie. Vor allem der Ch'an-Buddhismus (auch Zen genannt) teilt viele Überzeugungen des philosophischen Taoismus.

后

Zum Weiterlesen

Andere Ausdrucksweisen für „Königin“

后 Königin/Kaiserin (hou^4)

Die Frau des „Königs“ 王 ist eine „Königin“ 王后 (wang^2 hou^4) und die Frau eines „Kaisers“ 皇 (huang^2) - eine Kombination aus „weiß“ 白 und „König“ 王 - ist eine „Kaiserin“ 皇后 (huang^2 hou^4).

Auch wenn 女王 (siehe S. 80) und 王后 beide „Königin“ bedeuten, gibt es zwischen den Bezeichnungen einen feinen Unterschied. 王后 bedeutet „Königsgemahlin“, wobei der König über das Reich herrscht. 女王 bezeichnet normalerweise die Herrscherin über ein Königreich.

Während des Vereinfachungsprozesses, der 1949 begann (siehe S. 18), wurde die Bedeutung von 后 auf „nach“ oder „hinter“ erweitert, weil es genauso ausgesprochen wird wie die traditionelle Form 後 mit derselben Bedeutung.

生女 und 女生; 生男 und 男生

Chinesisch macht Spaß und ist gar nicht schwer! Erinnern Sie sich an „Geburt“ 生 (siehe S. 40)? Als Verb verwendet, kann es „gebären“ bedeuten. 生女 heißt „ein Mädchen gebären“ und 生男 heißt „einen Jungen gebären“. Ganz einfach!

Aber was ist mit 生子? Zwar lautet die wörtliche Bedeutung von 子 „Junge“, aber in der erweiterten Bedeutung kann es auch „Kind“ oder „Kinder“ heißen. Wenn wir also nicht sicher sind, welches Geschlecht das Baby hat, können wir 生子 verwenden, um uns nicht festlegen zu müssen. Wenn wir wissen, dass es ein Junge ist, werden 生子 und 生男 teilweise synonym verwendet.

Als Nomen kann 生 „Leben“ oder „Lebensunterhalt“ bedeuten. 一生 (wörtlich: „ein Leben“) steht für „Lebenszeit“ (siehe S. 41). Traditionell wurde auch 生 verwendet, um alles Lebendige zu bezeichnen. Später kamen die Bedeutungen „Gelehrter“ und „Schüler“ dazu. Wenn wir also die Wendung „weiblicher Schüler“ zusammensetzen, erhalten wir „Mädchen“ 女生. Fügen wir „männlich“ zu 生 hinzu, entsteht die Wendung „Junge“ 男生.

女生 Mädchen (nü^3 sheng^1)

男生 boys (nan^2 sheng^1)

Ungewöhnliche Zeichen: „wütend werden“ 嬲 und „flirten“ 嫐

嬲 wütend werden (niao^3)
Dieses seltsame Zeichen ist eine Kombination aus „männlich“ 男 + „weiblich“ 女 + „männlich“ 男. Wenn zwei Männer sich wegen einer Frau streiten, werden sie wütend aufeinander. 嬲 kann auch „ärgern“ oder „zanken“ bedeuten. Dieses Zeichen wird im Kantonesischen häufiger benutzt als in anderen Dialekten.

嫐 flirten (nao^3)
Dieses Zeichen setzt sich aus „weiblich“ 女 + „männlich“ 男 + „weiblich“ 女 zusammen. Wenn ein Mann von zwei Frauen umgeben ist, flirtet er mit beiden. Ich bin übrigens überzeugt, dass die meisten Zeichen von Männern erschaffen wurden!

风
子
魚
魚

KAPITEL 4

NATUR & WETTER

山 Berg (shan[1])

In Orakelknochen-Inschriften zeigt dieses Zeichen drei Berggipfel. Diese drei Gipfel sind noch in der heutigen Form zu erkennen.

川 Fluss (chuan[1])

Einige chinesische Zeichen haben sich seit alten Zeiten kaum verändert. Das Zeichen 川, das „Fluss“ bedeutet, ist ein Beispiel dafür; es wurde immer schon als drei leicht gewellte Linien geschrieben. Die moderne Version wurde zwar etwas begradigt, aber in der linken Linie sieht man immer noch eine leichte Kurve. Stellen Sie sich diesen Strich als Flussbiegung vor, wenn Ihnen das als Eselsbrücke nützt!

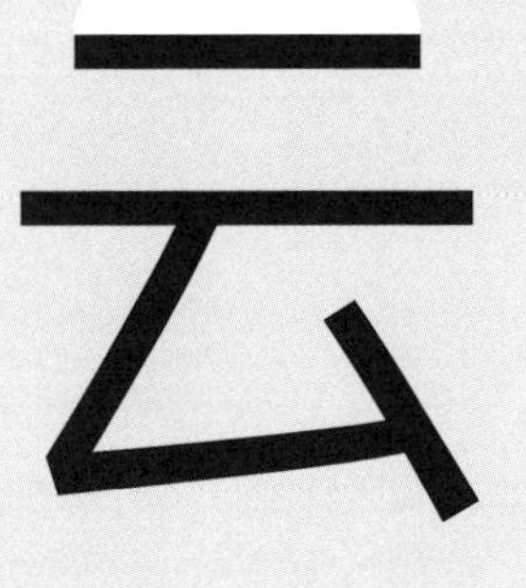

云 Wolke (yun²)

Die früheste Form dieses Zeichens in Orakelknochen-Inschriften zeigte einen sprechenden Mund, aus dem Atem strömte. Es bedeutete „sagen“ oder „sprechen“. In der modernen Form stellen die beiden waagerechten Linien oben den Mund dar, der untere Teil den Atem.

Dieses Zeichen trägt heute die Bedeutung „Wolke“, da es genauso ausgesprochen wird wie das traditionelle Zeichen für „Wolke“ 雲, das oben eine gedrängte Version des Zeichens „Regen“ (siehe rechts) zeigt.

雨 Regen (yu³)

In seiner alten Form bestand dieses Zeichen aus nur zwei Elementen: Eine waagerechte Linie (一) stellte den Himmel dar, unter dem Himmel symbolisierten ein paar Tropfen den Regen. In der modernen Form sind waagerechte Himmelslinie und Wassertropfen geblieben und das Element 冂 kam hinzu: 雨.

雷 Donner (lei²)

Dieses Zeichen ist eine Kombination aus einer stark komprimierten Version von „Regen“ 雨 und „Feld“ 田 (tian²). Um sich dieses Zeichen zu merken, kann man sich ein Gewitter im alten China vorstellen, in dem hektarweise Farmland vom Regen durchnässt wird und Blitze den Himmel erhellen, während die Bauern sich durch den Schlamm kämpfen, um Schutz unter einem Dach zu suchen. Was für ein dramatisches Bild!

雪 Schnee (xue^3)

Wie wir schon beim Zeichen für „Donner" und der traditionellen Form des Zeichens für „Wolke" gesehen haben, wird der Bestandteil „Regen" 雨 häufig in Zeichen verwendet, die sich auf das Wetter oder Naturgewalten beziehen. Für die alten Chinesen ähnelte Schnee „Federn" 羽 (yu^3), die vom Himmel fallen. Heutzutage wird das Zeichen ⺕ für federleichte Schneeflocken verwendet. Ich stelle mir ⺕ immer als Schaufel vor, mit der man Schnee aus der Einfahrt schippt.

電 Blitz/ Elektrizität (dian^4)

Die alte Form dieses Zeichens sah ganz anders aus als die moderne Version, nämlich wie ein Blitz, der in den Boden einschlägt. Auch wenn man diesen Ursprung im heutigen Zeichen nicht mehr erkennt, wurde die Bedeutung beibehalten. Neben „Blitz" wird es sehr häufig auch in der Bedeutung „Elektrizität" verwendet. Die vereinfachte Form des Zeichens lautet 电.

气 Luft (qi⁴)

In Orakelknochen-Inschriften besteht dieses Zeichen aus drei waagerechten Linien und bedeutete „Wolkenfetzen“ oder „leichte, dünne Wolke“. In der Siegelschrift blieben die beiden oberen Linien gleich, aber aus der dritten Linie wurde ein auf dem Kopf stehendes L. Die Bedeutung erweiterte sich auf „Luft“, „Dampf“ oder „Lebensenergie“. Dies ist die vereinfachte Form des Zeichens, die traditionelle Form 氣 enthält zusätzlich das Zeichen für „Reis“ 米 (siehe S. 206). Die Kampfkunst, die auf dem Fluss von Energie im menschlichen Körper basiert, ist als Qigong 氣功/气功 (qi⁴ gong¹) bekannt.

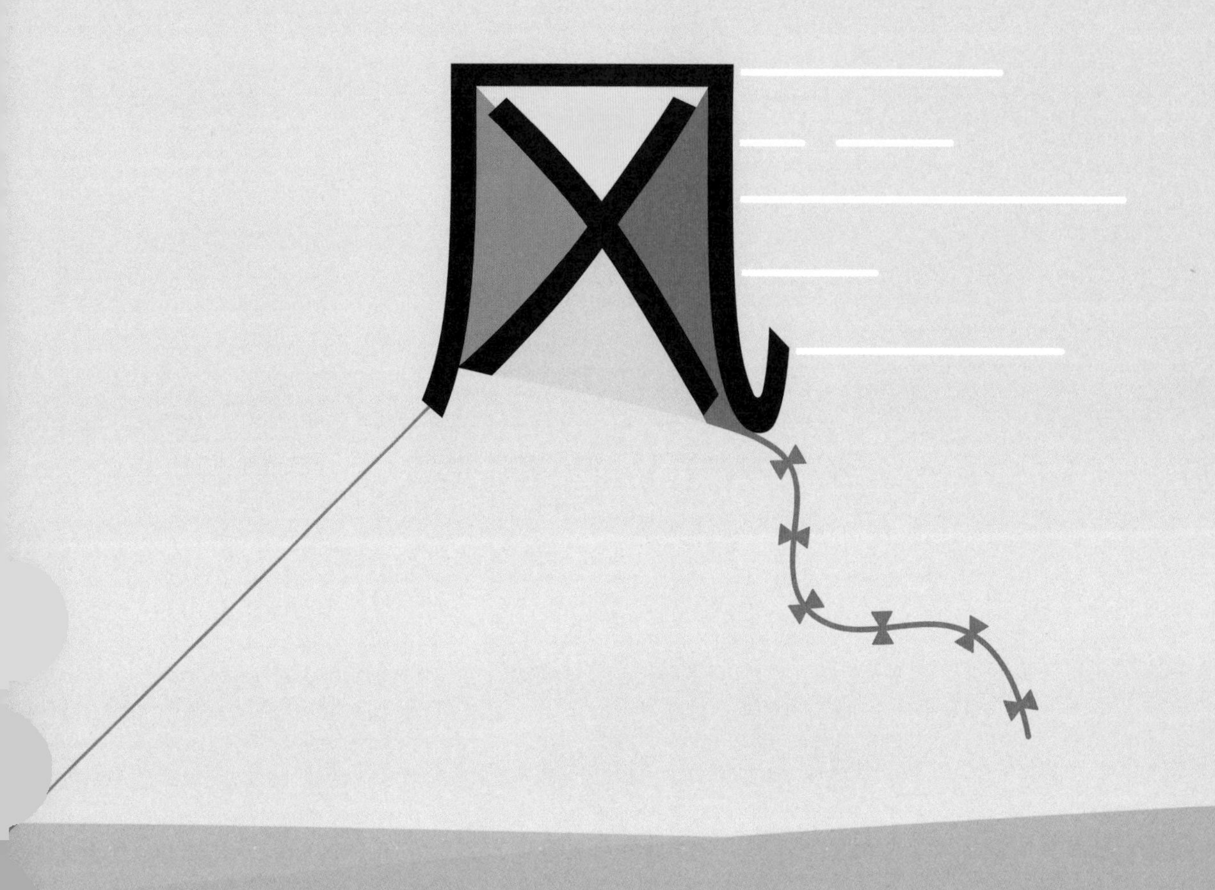

风 Wind (feng[1])

Der äußere Teil (几) dieses Zeichens sieht für mich aus wie ein Segel und der innere (㐅) wie ein Bootsmast. Ein Segelboot braucht eine Brise, um zu fahren, und so merke ich mir auch die Bedeutung des Zeichens – „Wind". Dies ist die vereinfachte Form, die traditionelle Form sieht so aus: 風.

Die Wendung 大风 (groß + Wind; da[4] fen[1]) bedeutet „starker Wind".

Ein Teil meines Namens, „Lan" 嵐 (lan[2]) ist eine Kombination aus „Berg" 山 und „Wind" 風. Es bedeutet „der Nebel in den Bergen". „Shao" 曉 (xiao[3]) heißt „Morgendämmerung". Ich bin also der Nebel in den Bergen der Morgendämmerung.

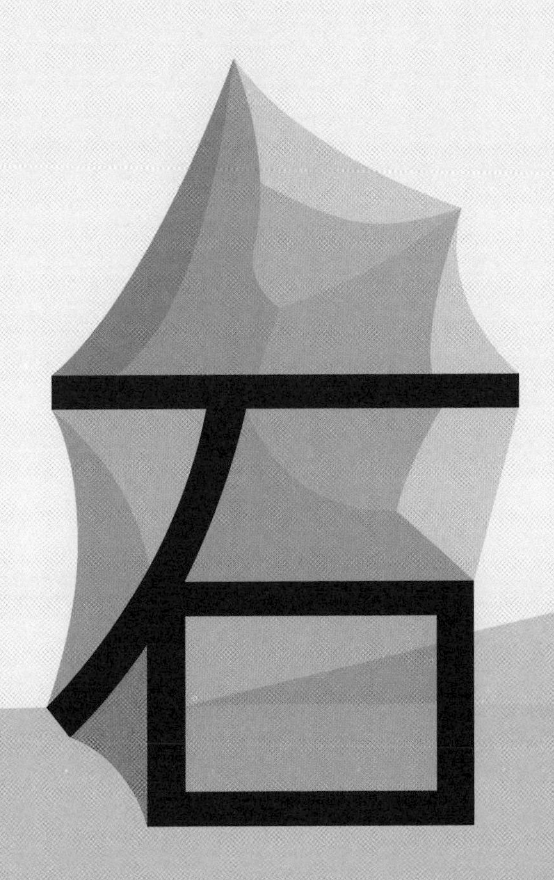

石 Stein (shi²)

Das Zeichen für „Stein“ sieht aus wie ein quadratischer Stein (口) unter einer Klippe (丆). Die Wendung 石頭 (vereinfachte Form: 石头; shi² tou) wird häufig ebenfalls in der Bedeutung „Stein“ benutzt. 頭/头 bedeutet „Kopf“ (siehe S. 142).

Die Wendung 大石 (da⁴ shi²) bedeutet wörtlich „großer Fels“.

Außerdem ist dieses Zeichen ein häufiger chinesischer Nachname, ausgesprochen „Shi“.

雨林 Regenwald (yu^{3} lin^{2})

Regen + Hain = Regenwald

风雨 Wind und Regen (feng^{1} yu^{3})

Wind + Regen

Die Wendung **大风雨** (da^{4} feng^{1} yu^{3}) bedeutet „großer Sturm mit starkem Wind und schwerem Regen“ – ein ungemütliches Wetter.

风光 Landschaft/wohlhabend (feng^{1} guang^{1})

Wind + Licht = Landschaft/wohlhabend

Die Übersetzung dieser Wendung hängt vom Kontext ab. Wenn sie die Natur oder die Umgebung beschreibt, bedeutet sie „Landschaft“ oder „Aussicht“, wenn sie auf eine Person angewandt wird, lautet die Bedeutung „wohlhabend“ oder „angesehen“.

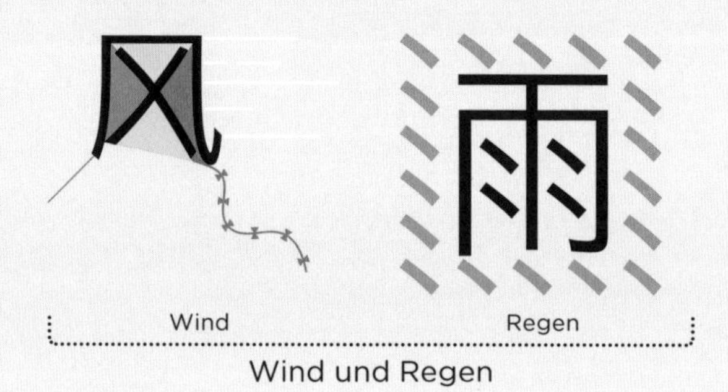

风 光

Wind Licht

Landschaft/wohlhabend

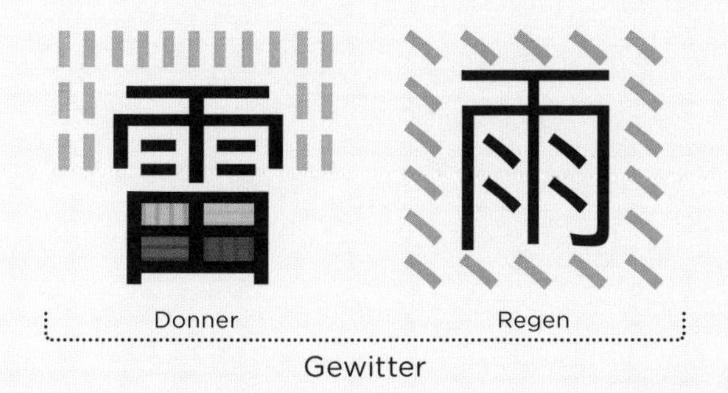

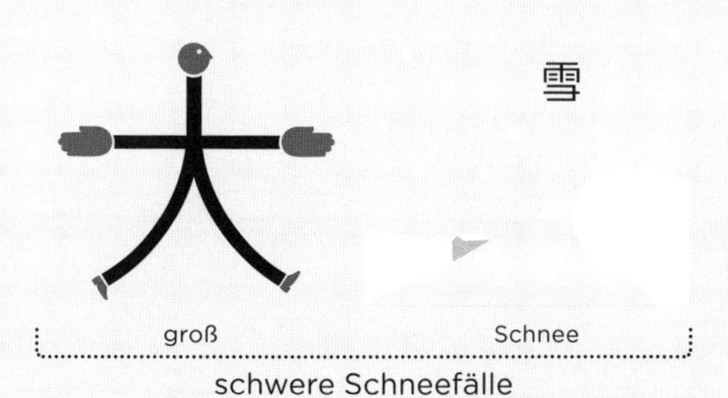

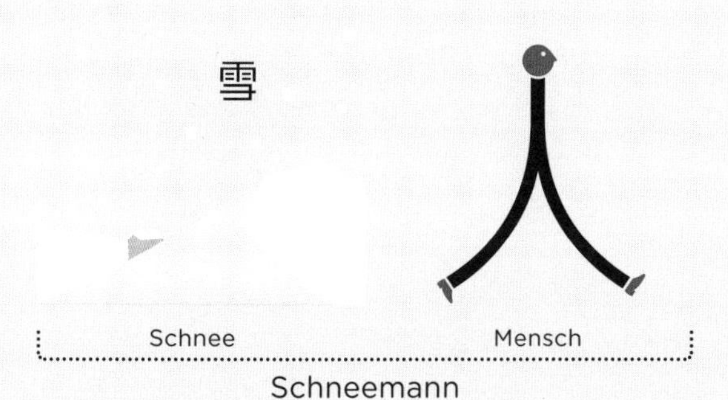

雷雨 Gewitter
(lei² yu³)

Donner + Regen = Gewitter

Bei einem Gewitter regnet es meistens auch stark, daher besteht diese Wendung aus „Donner" und „Regen". Fügt man vor dem „Gewitter" noch ein „groß" hinzu, wird daraus ein „schweres Gewitter" 大雷雨 (da⁴ lei² yu³).

大雪 schwere Schneefälle
(da⁴ xue³)

groß + Schnee = schwere Schneefälle

„Großer Schnee" sind sehr schwere Schneefälle! Und was tun wir bei einem 大风雪 (da⁴ feng¹ xue³)? Wir rennen um unser Leben – ein Schneesturm naht!

雪人 Schneemann
(xue³ ren²)

Schnee + Mensch = Schneemann

水電 Wasser und Strom

(shui^{3} dian^{4})

Wasser + Elektrizität

Die Nebenkostenrechnung wird auf Chinesisch **水電費** (vereinfachte Form: **水电费**; shui^{3} dian^{4} fei^{4}) genannt, was wörtlich so viel bedeutet wie „Wasser-Elektrizitäts-Kosten".

Wasser — Blitz/Elektrizität

Wasser und Elektrizität

光電 fotoelektrisch

(guang^{1} dian^{4})

Licht + Elektrizität = fotoelektrisch

„Fotoelektrisch" bezieht sich auf Energie, die durch (Sonnen-)Lichtstrahlen erzeugt wird, daher ist es nur logisch, dass diese beiden Elemente die Wendung „fotoelektrisch" bilden.

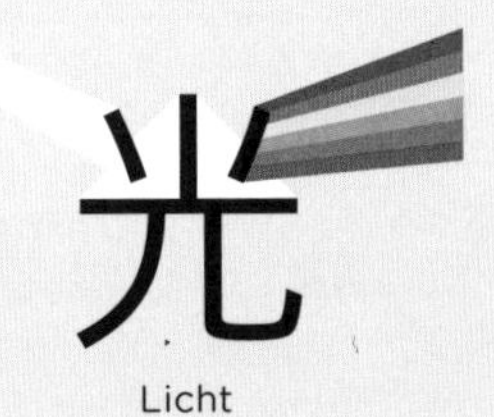

Licht — Blitz/Elektrizität

fotoelektrisch

電子 Elektron

(dian^{4} zi^{3})

Elektrizität + kleiner Gegenstand = Elektron

Elektrischer Strom entsteht, wenn winzige Partikel, die Elektronen, im Kreis fließen.

Blitz/Elektrizität — Sohn/kleiner Gegenstand

Elektron

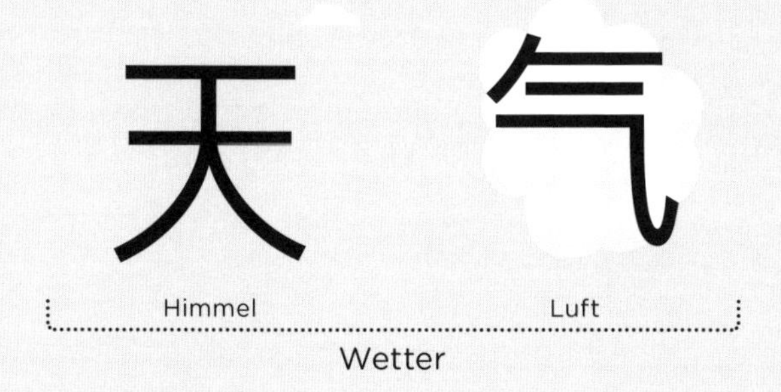

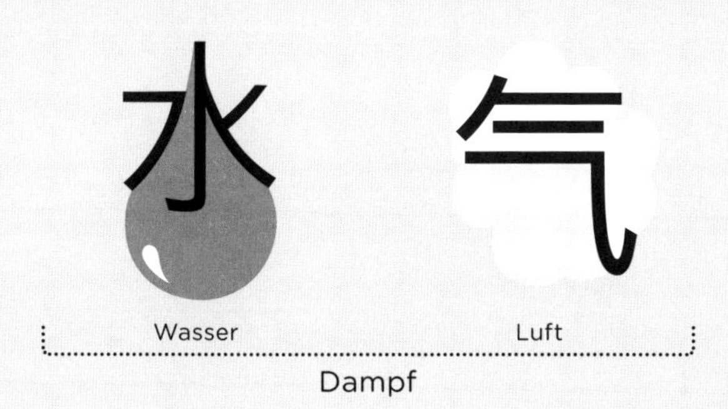

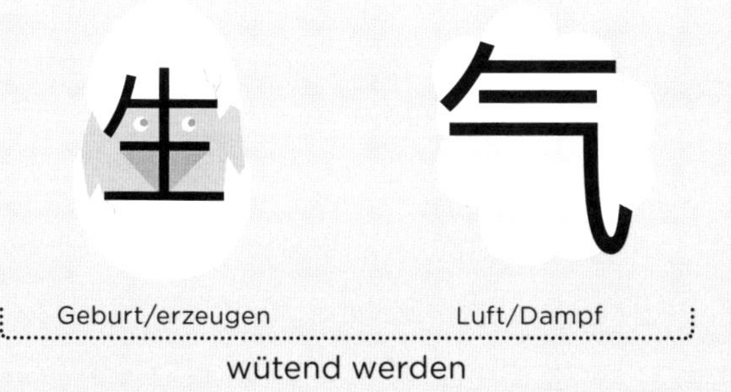

天气 Wetter
(tian[1] qi[4])

Himmel + Luft = Wetter

Die alten Chinesen waren ausgesprochen empfänglich für Wetterphänomene und die chinesische Sprache spiegelt ihre zahlreichen Beobachtungen wider. Ein gutes Beispiel ist die Wendung 天气: Unsere Vorfahren entdeckten, dass das Wetter durch die Bewegungen der Luft am Himmel beeinflusst wird, daher besteht die Wendung für „Wetter“ aus „Himmel“ und „Luft“. Dies ist die vereinfachte Form, die traditionelle sieht so aus: 天氣.

水气 Dampf
(shui[3] qi[4])

Wasser + Luft = Dampf

Dies ist die vereinfachte Form der Wendung; die traditionelle Form lautet 水氣.

生气 wütend werden (sheng[1] qi[4])

erzeugen + Luft/Dampf = wütend werden

Wenn 生 als Verb benutzt wird, kann es auch „erzeugen“ heißen. Wenn jemand eine Menge „Dampf“ 气 erzeugt, wird er gerade ziemlich wütend. Dies ist die vereinfachte Form der Wendung; die traditionelle Form lautet 生氣.

Zum Weiterlesen

Was ist Feng Shui?

Vor einigen Jahren wollte ich ein Haus in der Innenstadt von London kaufen. Als der Makler mir ein bestimmtes Gebäude zeigte, nahm ich mein Handy heraus und überprüfte mit dem eingebauten Kompass die Ausrichtung der einzelnen Räume. Der Makler wurde neugierig. „Ich überprüfe das Feng Shui“, erklärte ich. Es entstand eine peinliche Gesprächspause. Der Makler muss gedacht haben, dass ich entweder abergläubisch oder paranoid sei. Tatsächlich gab es für mein Verhalten vollkommen vernünftige Gründe. Wenn ich weiß, in welche Himmelsrichtungen das Haus und die einzelnen Räume ausgerichtet sind, weiß ich auch, wie die Sonne zu jeder Zeit des Jahres hineinfällt. Ich kenne auch die Richtung, aus der der Wind in den verschiedenen Jahreszeiten weht. Daraus kann ich schließen, ob das Haus energieeffizient ist oder nicht. Ich werde hier nicht auf die komplizierte Theorie des Feng Shui eingehen (manchmal auch „Kunst der Platzierung“ genannt), doch es ist eine praktische Möglichkeit, die Harmonie zwischen Menschen und ihrer Umgebung zu verstehen und zu würdigen.

Feng heißt „Wind“ und Shui heißt „Wasser“; zusammen wird daraus 風水/风水 (feng¹ shui³). Heute verbinden wir Feng Shui vielleicht mit Innenarchitektur (es liefert nützliche Anhaltspunkte für Beleuchtung, Energiesparen, Belüftung und Komfort), aber schon seit Jahrtausenden wenden die Chinesen Feng-Shui-Prinzipien in der Stadtplanung, Landwirtschaft und Architektur an. In alten Zeiten konsultierte ein Herrscher erst die Feng-Shui-Meister, bevor er entschied, wo er eine neue Hauptstadt, Siedlungen oder Festungen baute. Sie mussten dabei schließlich die Versorgung mit Nahrung und Wasser, die Auswirkungen von Hitze und Kälte, die Wahrscheinlichkeit von Überschwemmungen und Stürmen, die Position der Straßen zum Rest des Reiches und etwaige militärische Vorteile für die Verteidigung ihres Volkes berücksichtigen.

Vor der Erfindung des magnetischen Kompasses waren Feng-Shui-Meister Experten der Astronomie. Sie studierten die Ausrichtung der Sterne, um zu entscheiden, wo man am besten Häuser baute. Jüngere Untersuchungen haben gezeigt, dass vor über 6000 Jahren in der alten Bampo-Kultur die Behausungen so aufgestellt wurden, dass sie maximal von der Sonne erwärmt wurden. Seit dieser Zeit hat sich Feng Shui zu einer komplexen Theorie entwickelt, die den Alltag von Millionen von Menschen beeinflusst. Im Lauf der Jahre entstanden zahlreiche Denkschulen, die zwar alle denselben Grundprinzipien folgen, aber unweigerlich teilweise auch widersprüchliche Praktiken übernommen haben, manche extremer als andere. Wir sollten jedoch den Wert ihres Wissens und ihrer Weisheit nicht leichtfertig abtun. Wenn man eine Gruppe von Wirtschaftsfachleuten zusammenbringt, die im Westen ausgebildet wurden, findet man unter ihnen schließlich auch unterschiedliche Theorien. Seien wir also offen für das, was wir von unseren Vorfahren lernen können.

风
水

馬
鳥
羊
犬
鸡

KAPITEL 5

TIERE

牛 Kuh (niu²)

In seiner ursprünglichen Form bedeutete dieses Zeichen „Ochse" oder „Rind" und zeigte das Gesicht eines Ochsen mit aufwärts gerichteten Hörnern. Allmählich wurde aus den Hörnerstrichen ein nach links abfallender und ein waagerechter Strich und das Zeichen nahm die Bedeutung „Kuh" an.

In der Form 牜 wird das Zeichen als Bestandteil bestimmter Zusammensetzungen verwendet.

熊 Bär (xiong²)

In alten Schriften zeigte dieses Zeichen einen Bären mit scharfen Zähnen und Klauen. Jahrtausendelang galt der Bär in China zusammen mit dem Tiger (siehe S. 116) als Symbol für Tapferkeit. Die schreckliche Tradition, Bärentatzen als Delikatesse zu verspeisen, wird heute endlich zunehmend hinterfragt, aber illegale Jagd und Schmuggelei sind nach wie vor ein ernsthaftes Problem. Bärengalle wird in der traditionellen Medizin weithin als potente Zutat verwendet; Käfigbären werden dafür einem schmerzhaften Gewinnungsprozess unterzogen.

馬 Pferd (ma³)

In der Illustration sieht man ein Pferd von der Seite, und genau so entstand das Zeichen auch. Die vereinfachte Form lautet 马.

Als Baustein taucht 馬 in einigen nützlichen Zusammensetzungen auf, zum Beispiel in 嗎 (ma, Fragepartikel am Ende eines Satzes – siehe S. 135) und in 媽 (ma¹; Mutter – siehe S. 71).

羊 Schaf (yang²)

In der Orakelknochenschrift zeigte dieses Zeichen ein Schafsgesicht mit einem Paar Hörnern. Im Lauf der Zeit wurden aus dem Gesicht die beiden unteren waagerechten Striche (der dritte Strich gehörte zu den Hörnern). Heute steht das Zeichen für die Säugetier-Unterfamilie der Ziegen und Antilopen und wird in Wendungen für einzelne Tierarten benutzt, z. B. „Berg" + „Schaf" = „Bergziege" 山羊 (shan¹ yang²), „weich" + „Schaf" = „Schaf" 綿羊/绵羊 (mian² yang²). 羊 wird auch als Bestandteil in verschiedenen Zusammensetzungen verwendet.

蛇 Schlange (she²)

Sehen Sie sich die Illustration oben einmal genau an. Das Zeichen für „Schlange" setzt sich aus „Insekt" 虫 (chong²) und 它 (ta¹) zusammen. In alten Schriften hieß 它 „Schlange", aber später verwendete man dieses Zeichen, um „es" zu bezeichnen. Um zwischen den beiden Wörtern zu unterscheiden, wurde ein „Insekt" neben 它 gesetzt, um die Bedeutung „Schlange" anzuzeigen.

兔 Kaninchen (tu⁴)

In der Orakelknochenschrift zeigte das Zeichen für „Kaninchen" ein Kaninchen von der Seite. Im Lauf der Zeit kamen weitere Kaninchenmerkmale hinzu. Ich merke mir das Zeichen gern so: Der obere Teil (⺈) sieht aus wie die langen Ohren, in der Mitte sitzen die Augen und unten die beiden kräftigen Hinterbeine. Und was ist mit dem kleinen Punkt auf der rechten Seite? Das ist natürlich das Schwänzchen – wie süß!

鸡 Huhn (ji[1])

Dies ist die vereinfachte Form von „Huhn"; die traditionelle Form lautet 雞 oder 鷄, eine Kombination aus „fesseln" 奚 (xi[1]) und „kurzschwänziger Vogel" 隹 (zhui[1]) oder „fesseln" und „Vogel" 鳥 (siehe S. 111). Archäologen haben in Nordost-China fossile Hühnerknochen gefunden, die sie auf etwa 5400 v. Chr. datieren, wobei das Huhn ihrer Meinung nach ursprünglich für Hahnenkämpfe domestiziert wurde. Hühnerfleisch ist in China eine zunehmend beliebte Proteinquelle, aber im Allgemeinen ziehen die Chinesen rotes Fleisch dem weißen vor.

鼠 Ratte (shu[3])

Dieses Zeichen ist das Piktogramm einer Ratte. Es sieht vielleicht etwas seltsam aus, aber wenn man sich eine Ratte mit einem hübschen Oberteil und einer Hose mit Punktmuster vorstellt, kann man sie erkennen.

Im Chinesischen wird zwischen Mäusen und Ratten nicht unterschieden, daher bedeutet dieses Zeichen beides.

犬 Hund (quan³)

Als Einzelzeichen bedeutet 犬 „Hund“, aber meist trifft man das Zeichen in seiner zusammengesetzten Form 犭 an. Die Zeichen, die 犭 enthalten, bezeichnen hundeähnliche Säugetiere wie „Fuchs“ 狸 (li²), „Wolf“ 狼 (lang²), „Löwe“ 獅 (shi¹) oder „Schakal“ 豺 (chai²) oder aber Primaten wie „Affe“ 猴 (siehe S. 110), „Menschenaffe“ 猿 (yuan²) oder „Gorilla“ 猩 (xing¹). Offenbar klassifizierten die alten Chinesen Tiere nicht auf dieselbe Weise wie moderne westliche Biologen.

犭 wird manchmal auch als Baustein für beschreibende Zusammensetzungen verwendet:

„Hund“ 犭 + „König“ 王 = „verrückt“ 狂 (kuang²)

„Hund“ 犭 + „zäh“ 艮 (gen³) = „wild/grausam“ 狠 (hen³)

„Hund“ 犭 + „wohlhabend“ 昌 (chang¹) = „rasend/wild“ 猖 (chang¹)

狗 Hund (gou³)

Das häufiger verwendete Zeichen für „Hund“ ist eine Kombination aus 犭, das die Bedeutung angibt, und „Satz“ 句 (ju⁴), das die Aussprache festlegt. Dies ist die phonosemantische oder piktophonetische Art der Zeichenbildung (siehe S. 15).

豕 Schwein (shi^3)

Die ursprüngliche Form des Zeichens zeigte eine lange Schnauze, einen dicken Bauch, Hufe und einen Schwanz. Im modernen Chinesisch wird 豕 selten einzeln gebraucht; typischerweise findet man es in Zusammensetzungen wie „Schwein" 豬 (siehe unten), „Ferkel" 豚 (tun^2), „Elefant" 象 (siehe S. 113) oder „Heim" 家 (jia^1; zeigt ein Schwein unter einem Dach). Wie das Zeichen für „Hund" ist auch dieses ein Beleg für die Diskrepanz zwischen der Entstehung chinesischer Zeichen und der modernen biologischen Klassifizierung.

豬 Schwein (zhu^1)

豬 wird wesentlich häufiger für das Wort „Schwein" verwendet. Es folgt demselben phonosemantischen oder piktophonetischen Prinzip wie „Hund" (siehe vorige Seite): 豕 zeigt die Bedeutung an und „diejenigen, die/dasjenige, das" 者 (zhe^3) die Aussprache („phono-/phonetisch"). Im 1949 begonnenen Vereinfachungsprozess (siehe S. 18) wurde 豕 zu 犭 und das Zeichen für „Schwein" wurde 豬.

Wenn wir „Berg" und „Schwein" zusammensetzen, erhalten wir die Wendung „Wildschwein" 山豬 (shan^1 zhu^1; siehe S. 214).

猴 Affe (hou²)

Dieses Zeichen ist eine Kombination aus „Hund", das die Bedeutung angibt, und „Fürst" 侯 (hou²), das die Aussprache anzeigt. Inzwischen ist Ihnen vielleicht aufgefallen, dass die meisten chinesischen Zeichen aus einem aussprachegebenden und einem bedeutungstragenden Bestandteil zusammengesetzt sind. Dies ist eine effektive Möglichkeit, um die Anzahl der Zeichen zu vergrößern.

貓 Katze (mao¹)

Dieses Zeichen besteht aus 豸 (zhi⁴) auf der linken Seite, das die Bedeutung angibt, und „Knospe" 苗 (siehe S. 204) auf der rechten Seite, das Aufschluss über die Aussprache gibt. 豸 ist eine legendäre Kreatur in der chinesischen, japanischen und koreanischen Mythologie. In einigen alten Quellen wird sie „beinlose Insekten" genannt. Die vereinfachte Form von „Katze" lautet 猫; hier wurde 豸 durch 犭 ersetzt das für hundeähnliche Säugetiere steht.

Wenn wir „Berg" und „Katze" kombinieren, erhalten wir die Bezeichnung für „Luchs" 山貓 (shan¹ mao¹).

鳥 Vogel (niao³)

In der Orakelknochenschrift sah dieses Zeichen aus wie ein Vogel. Im Lauf der Zeit jedoch wurden die Linien, die Krallen, Schnabel und Schwanzfedern des Vogels darstellten, immer geometrischer. Im vereinfachten Chinesisch hat sich das Zeichen noch weiter von seiner ursprünglichen Form entfernt und aus den kleinen Strichen unten wurde eine einzige gerade Linie: 鸟.

Dieses Zeichen ähnelt dem Zeichen von „Pferd" 馬/马. Der einzige Unterschied ist der kleine Strich ganz oben: 鳥/鸟.

鴨 Ente (ya¹)

Dieses Zeichen setzt sich aus „Rüstung" 甲 (jia³) und „Vogel" zusammen. Glaubten die alten Chinesen wirklich, dass Enten Vögel mit einer Rüstung waren? Vielleicht, aber wahrscheinlich ist es wieder nur ein Beispiel für ein kombiniertes Zeichen: 甲 ist der lautgebende Teil, 鳥 der bedeutungstragende Teil.

Ente wird in China und Taiwan gern gegessen. Das erste verzeichnete Rezept für das typische Gericht „Pekingente" 北京烤鴨 (bei³ jing¹ kao³ ya¹) findet sich in einem kaiserlichen chinesischen Kochbuch von 1330.

毛 Haare/Fell (mao²)

Ursprünglich stellte dieses Zeichen das Fell von Tieren dar; die Linien waren in der Ausgangsform stärker gewellt. In seiner modernen Form sind die Linien wesentlich gerader. 毛 kann zur Bezeichnung von menschlichen Körperhaaren verwendet werden, aber nicht von Haaren auf dem Kopf; dafür nehmen wir 髮/发 (siehe S. 143). Wenn 毛 als Adjektiv verwendet wird, kann es „rau“ heißen.

Mao ist auch ein häufiger chinesischer Nachname. Der berühmteste Träger dieses Namens ist wohl Mao Zedong (毛澤東/毛泽东; mao² ze² dong¹).

羊毛 Schafwolle (yang² mao²)

Schaf + Haar/Fell

馬毛 Pferdehaar (ma³ mao²)

Pferd + Haar/Fell

兔毛 Kaninchenfell (tu⁴ mao²)

Kaninchen + Haar/Fell

象 Elefant (xiang⁴)

Dieses Zeichen zeigte ursprünglich die Seitenansicht eines Elefanten mit Rüssel und Stoßzähnen. In der modernen Form ist der Elefant weniger gut zu erkennen. Rüssel und Stoßzähne sieht man jedoch immer noch: Es sind die drei Striche, die nach links unten abfallen. In der unteren Hälfte des Zeichens findet sich der Baustein für „Schwein“ 豕.

Der chinesische Tierkreis

Wie bei den meisten alten Mythen auf der ganzen Welt gibt es viele Versionen der Geschichte über den Ursprung des chinesischen Tierkreises mit seinem Zwölfjahreszyklus. Dies ist die Version, die ich als Kind am häufigsten zu hören bekam.

Früher, als die meisten Menschen kaum Bildung genossen, gab es keine effektive Möglichkeit, die Zeit in Jahren, Monaten, Tagen oder Stunden aufzuzeichnen. Der Jadekaiser beschloss, aus häufigen Tieren einen Kalender zu erstellen, damit das einfache Volk das Konzept der Zeit verstehen konnte. Doch selbst der kluge Jadekaiser kam zu keinem Ergebnis über Auswahl und Reihenfolge der Tiere. Er erklärte, dass er an seinem Geburtstag ein Rennen über den Fluss veranstalten würde, und kündigte an, der neue Kalender würde nach der Reihenfolge der ersten zwölf Tiere im Rennen erstellt werden.

Alle Tiere waren sehr aufgeregt und begannen, sich auf das Rennen vorzubereiten. Einige Tiere konnten jedoch nicht gut schwimmen. Zwei enge Freunde, Katze und Ratte, gingen zur Kuh, die als freundlich und sanft bekannt war, um sie um einen Gefallen zu bitten. Die Kuh stimmte zu, sie über den Fluss zu bringen. Am frühen Morgen des Wettkampftages gelang es der Ratte nicht, die Katze zu wecken, die tief und fest schlief. Die Kuh drängte die Ratte, die Weckversuche aufzugeben und mit dem Rennen zu beginnen. (In einer anderen Version der Geschichte weckt die hinterhältige Ratte die Katze absichtlich nicht.) Kurz vor der Zielgeraden begann die Kuh, ihren Kopf zu schütteln, um die Ratte loszuwerden, die sich an ihren Hörnern festhielt. Schließlich war es ein Wettrennen! Die Ratte wurde auf einen Ast geschleudert, prallte von dort ab und gelangte so als Erste über die Ziellinie. (In einer anderen Version springt die Ratte nach vorn über die Ziellinie, sobald die Kuh sie über den Fluss getragen hat.) Das Rennen war vorbei und die zwölf Gewinner wurden verkündet (Reihenfolge siehe unten). Die Katze, die das ganze Rennen versäumt hatte, war verbittert, warf der Ratte vor, das Vertrauen zwischen ihnen zerstört zu haben, und begann sie zu jagen. So wurden die rachsüchtige Katze und die schuldbewusste Ratte zu Feinden.

In meiner ganzen Kindheit hörte ich mehr als zehn verschiedene Versionen des chinesischen Tierkreises mit kleinen oder unbedeutenden Variationen. Wir wissen

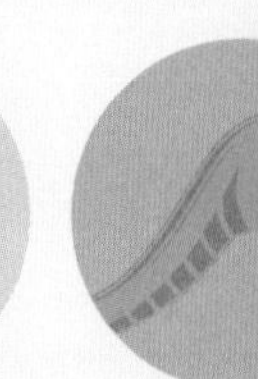

übrigens, dass es in China zu der Zeit, als der Tierkreis entstand, noch keine Katzen gab.

Über Jahrtausende beeinflusste der zwölfteilige Tierkreis den Alltag in China auf vielen Ebenen. Die früheste schriftliche Erwähnung stammt aus der Qin-Dynastie (etwa 220 v. Chr.) mit dem kleinen Unterschied, dass der Drache in dieser Version ein Käfer ist. Die zwölf Tiere wurden zu Bezeichnungen im Kalender (Jahre und Monate) und in der Zeit (im alten China waren jeweils zwei Stunden eine Einheit eines Tages). Es entstanden Theorien zur Vorhersage von Persönlichkeit, Wohlstand und wichtigen Lebensentscheidungen wie Karriere und Heirat auf der Grundlage der Eigenschaften, die jedem Tier des Tierkreises zugeschrieben wurden.

Millionen von Chinesen glauben fest daran, dass das Glück (oder Unglück) der Ehe durch die „perfekte Übereinstimmung" der Tierkreiszeichen der Partner bestimmt wird. So passt ein Drache beispielsweise gut zu Ratte, Affe und Hahn, ganz und gar nicht jedoch zu Kuh, Hase, Hund oder einem anderen Drachen. Das Glaubenssystem erstreckt sich auf jede Art von menschlicher Beziehung, etwa zwischen Eltern und Kindern sowie zwischen Geschwistern, Kollegen und Freunden. Die Chinesen glauben außerdem, dass Kinder, die in einem bestimmten Tierkreiszeichen geboren werden, mehr Glück und Wohlstand erreichen als andere. Einen Sohn im Zeichen des Drachen zu bekommen, ist der Traum vieler Familien, da diesen Drachen-Babys eine glänzende Karriere und Glück vorausgesagt werden. Die Auswirkungen auf die Gesellschaft in ihrer Gesamtheit sind jedoch weniger positiv. 2012, im letzten Jahr des Drachen, erhöhte sich die Geburtenrate in China um fünf Prozent über den jüngsten jährlichen Durchschnitt von 16 Millionen Geburten pro Jahr. Wenn diese Kinder heranwachsen, werden sie in starke Konkurrenz zu ihren Altersgenossen treten und es wird ein gewaltiger Druck auf das Bildungssystem, den Arbeitsmarkt und die Krankenhäuser entstehen.

Ich bin jedenfalls ein sorgloses Schwein – und Sie?

Zum Weiterlesen

龙 Drache (long^{2})

Der Drache ist wohl das wichtigste und symbolträchtigste Tier in der chinesischen Geschichte. Die Chinesen nennen sich selbst die „Nachfahren des Drachen". Diese legendäre Kreatur hat das Geweih eines Hirschen, den Kopf eines Krokodils, die Augen eines Dämonen, den Hals einer Schlange, die Eingeweide einer Schildkröte, die Klauen eines Falken, die Pfoten eines Tigers und die Ohren einer Kuh. 龙 ist die vereinfachte Form von „Drache", das traditionelle Zeichen sieht so aus: 龍.

Während der Drache in der westlichen Kultur häufig Aggression und sogar das Böse symbolisiert, werden ihm in China positive Kräfte zugeschrieben, mit denen er Regen, Stürme, Überschwemmungen und Dürren kontrolliert. Die Chinesen bitten den Drachen um Schutz und gutes Wetter für den Ackerbau. Den mythologischen Herrscher des Meeres nennen sie den „Drachenkönig" 龍王/ 龙王 (long^{2} wang^{2}). Der Drache mit den fünf Klauen ist seit der Zhou-Dynastie (ca. 1046–256 v. Chr.) das Symbol des Kaisers von China.

虎 Tiger (hu^{3})

虎 gehört zu den piktografischen Zeichen aus dem alten China. Als Adjektiv bedeutet es „mutig". Jahrtausendelang wurde fast jeder Teil des Tigers, von seinen Klauen über Knochen, Galle, Augen und Gehirn bis hin zu Penis, Schnurrhaaren und Zähnen, als Zutat in der chinesischen Medizin verwendet. Obwohl Tiger 1986 weltweit als gefährdet eingestuft wurden und der internationale Handel mit Tigerteilen verboten ist, gibt es immer noch einen Schwarzmarkt.

Zu den ersten Redewendungen, die viele Chinesischlernende aufschnappen, gehört 馬馬虎虎/马马虎虎 („Pferd Pferd, Tiger Tiger"; ma^{3} ma^{3} hu^{3} hu^{3}) für etwas Schlampiges oder Nachlässiges. Diese Redewendung hat ihren Ursprung in der Überzeugung, dass Menschen anderen Tieren überlegen sind.

Die Wendung 虎媽 (hu^{3} ma^{1}) bedeutet wörtlich „Tigermutter" und bezeichnet eine strenge oder fordernde Mutter, die ihre Kinder zu Höchstleistungen antreibt. Nein, ich bin nicht so eine – ich bin eher eine „Kätzchenmutter".

Der Gebrauch von Geschlechtsbezeichnungen bei Tieren

In der deutschen Tierterminologie gibt es eigene Worte, um zwischen den Geschlechtern zu unterscheiden. So heißt ein männliches Rind zum Beispiel „Bulle“ und ein weibliches „Kuh“, ein männliches Schwein ist ein „Eber“, ein weibliches eine „Sau“.

Im Chinesischen ist es viel einfacher, das Geschlecht eines Tieres anzugeben; wir brauchen dazu nur zwei Zeichen: 公 (gong[1]; „männlich“) und 母 (mu[3]; „weiblich“). Hier einige Beispiele:

Kuh: 牛	Bulle: 公牛 (männlich + Rind)	Kuh: 母牛 (weiblich + Rind)
Schwein: 豬	Eber: 公豬 (männlich + Schwein)	Sau: 母豬 (weiblich + Schwein)

Wichtig dabei ist, dass 公 und 母 nur das Geschlecht von Tieren bezeichnen können. Beim Menschen benutzen wir 男 (männlich) und 女 (weiblich) (siehe S. 66–67).

Andere interessante Wendungen

馬夫 Stallbursche (ma[3] fu[1])

Pferd + Mann = Stallbursche

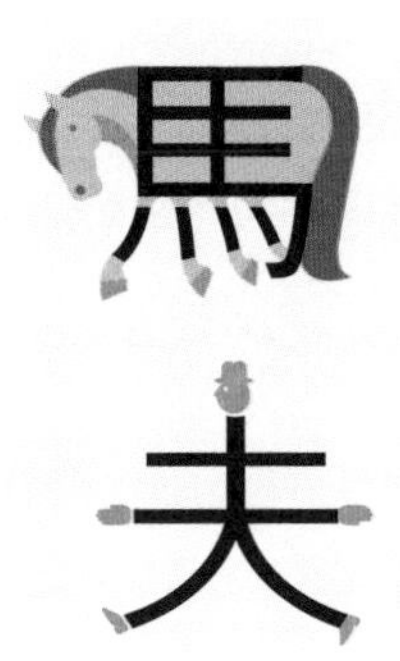

Pferde werden sowohl in der östlichen als auch in der westlichen Kultur schon seit langer Zeit mit Männlichkeit in Verbindung gebracht. Sucht man dafür nach einem Beispiel, braucht man sich nur einen beliebigen Western anzusehen. Cowboys sind so etwas wie das Sinnbild des männlichen Mannes.

Vielleicht ist das der Grund, warum die chinesische Wendung für einen Stallburschen 夫 (Mann) statt das häufigere 人 (Mensch) als Baustein verwendet. Neben „Stallbursche“ kann 馬夫 auch „Pferdepfleger“ oder „Reitknecht“ bedeuten.

天馬 Pegasus (tian[1] ma[3])

Himmel + Pferd = Pegasus

Dies ist auf jeden Fall die interessanteste Wendung mit „Pferd“, die Sie auf Chinesisch lernen können. Zahlreiche unterschiedliche alte griechische Legenden ranken sich um diesen mythischen geflügelten Hengst, aber einige Geschichten sind weithin bekannt, zum Beispiel die seiner ungewöhnlichen Geburt. Es heißt, als Perseus die Gorgone Medusa köpfte, wurden Pegasus und sein Bruder Chrysaor aus der Mischung aus Medusas Blut mit der Meeresgischt geboren. Sein Vater war also Poseidon, der Gott des Meeres.

Pegasus ist auch der Name eines Sternbildes am nördlichen Himmel. Im Chinesischen benutzen wir die Wendung 天馬星 (tian[1] ma[3] xing[1]; „Pegasus-Stern“), um das Sternbild Pegasus zu bezeichnen.

大
小

KAPITEL 6

DINGE BESCHREIBEN

大 groß (da⁴)

Was denkt man als Erstes, wenn man einen *rikishi* (japanischen Sumoringer) sieht? Er ist GROSS! Mehr zu diesem Zeichen finden Sie auf Seite 63.

小 klein (xiao³)

In der Orakelknochenschrift sah dieses Zeichen aus wie drei kleine Punkte. In der Siegelschrift wurden aus den drei Punkten dann drei Linien und schließlich entwickelte sich das Zeichen zu seiner modernen Form weiter. Für mich ähnelt 小 einem knienden Mann mit den Armen an den Seiten, als versuchte er, sich so klein wie möglich zu machen.

大小 Größe (da⁴ xiao³)

groß + klein = Größe

又 wieder (you⁴)

Ursprünglich zeigte dieses Zeichen eine rechte Hand und bedeutete auch genau das. Im Lauf der Zeit entstand ein anderes Zeichen für „rechte Hand“ (siehe S. 127) und 又 nahm die Bedeutung „wieder“, „auch“ oder „zusätzlich“ an.

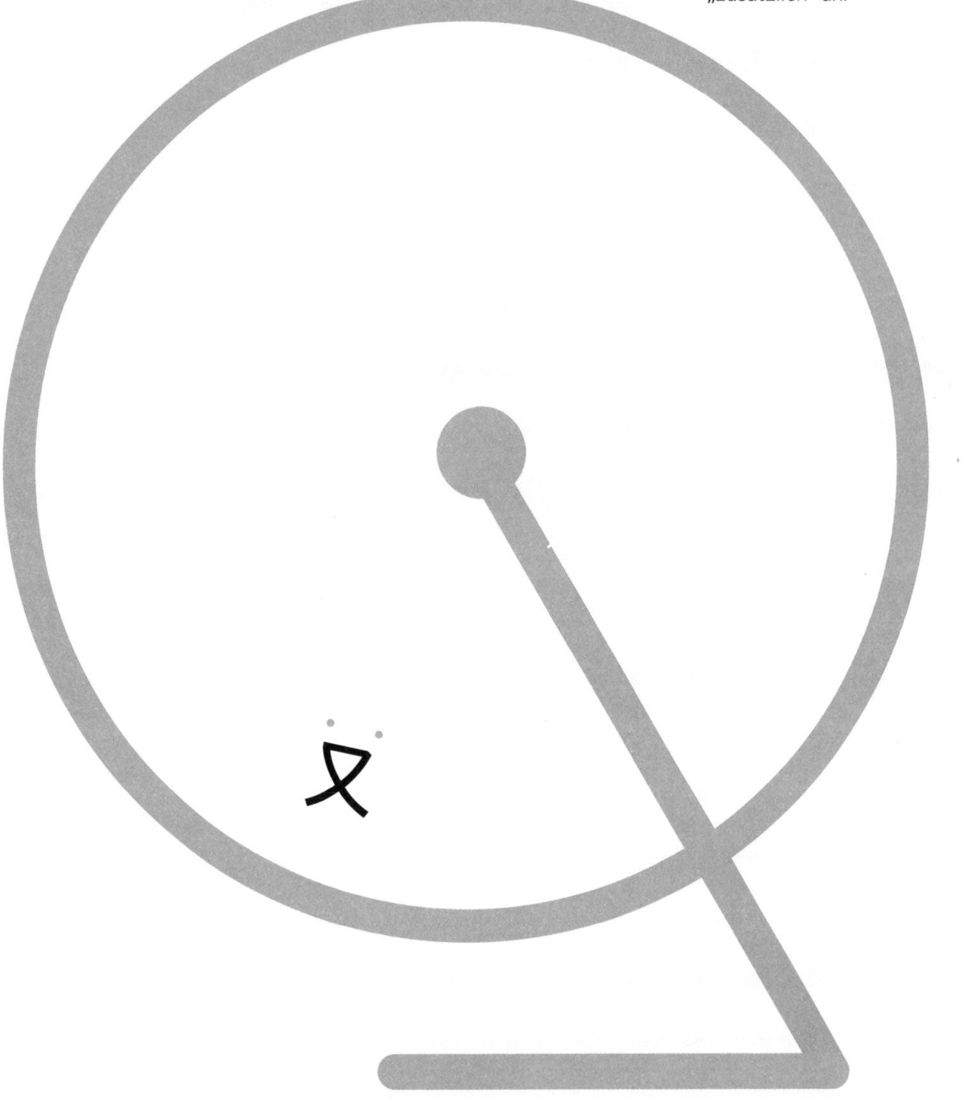

不 nein/nicht (bu⁴)

Den Statistiken zufolge ist dies das am vierthäufigsten benutzte Zeichen in der chinesischen Sprache. Neben seiner wörtlichen Bedeutung „nein" braucht man 不, wenn man etwas Negatives ausdrücken will, etwa wie bei den Präfixen „un-", „in-", „ir-", „des-" und „a-" im Deutschen. Auf den Seiten 134–135 sehen Sie, wie nützlich 不 ist und wie leicht sich sein Gebrauch lernen lässt.

Wenn dieses Zeichen in einer Wendung auftaucht, hängt seine Aussprache davon ab, welches Zeichen folgt. Siehe S. 15 und auch die Beispiele auf den Seiten 134–135.

好 gut/O.K. (hao³)

Wenn wir uns auf Chinesisch begrüßen, sagen wir 你好 (ni³ hao³). *Ni* heißt „du“ und *hao* bedeutet „gut“, also begrüßen wir uns mit „Du gut!“

Wie wir auf Seite 72 schon gesehen haben, ist „gut“ eine Kombination aus den Bausteinen „Frau“ 女 und „Junge“ 子. Im alten China war eine Frau nur dann eine gute Frau, wenn sie einen Jungen geboren hatte.

Neben „gut“ kann 好 auch in der Bedeutung „O.K.“ oder „ja“ verwendet werden. In Verbindung mit Adjektiven bedeutet es „so“ oder „sehr“ („so groß“, „so schön“, „so lang“ usw.).

Sie sollten 好 auf jeden Fall in die Top 10 Ihrer persönlichen Chineasy-Zeichen aufnehmen.

上 oben/über (shang⁴)

In der Orakelknochenschrift sah das Zeichen für „oben" dem Zeichen für „zwei" (二) sehr ähnlich; die untere Linie stellte die Erdoberfläche dar, die obere alles darüber. Erst in der Bronzeschrift kam eine senkrechte Linie hinzu und das Zeichen ähnelte seiner heutigen Form.

Neben Präpositionen wie „auf" oder „über" und dem Adjektiv „obere/-r/-s" kann 上 auch Verben wie „aufsteigen", „hochgehen" oder „klettern" bezeichnen; siehe die Wendungen auf den Seiten 162–163.

下 unten/unter (xia⁴)

Die ursprüngliche Form des Zeichens für „unten" ähnelte ebenfalls dem Zeichen für „zwei" (二), jedoch war die obere Linie länger als die untere. Auch die Entwicklung dieses Zeichens verlief ganz ähnlich wie bei 上.

Genau wie 上 wird auch 下 auf verschiedene Arten verwendet; neben „unten" kann es auch „unter", „niedriger", „hinabsteigen", „hinuntergehen" und „aussteigen" heißen. Siehe die Wendungen auf den Seiten 162–163.

卡 blockieren (ka³)

Dieses Zeichen ist eine Kombination aus „oben" 上 und „unten" 下. Wenn sich etwas weder nach oben noch nach unten bewegen kann, steckt es fest; die Bedeutung von 卡 lautet daher „blockieren".

Wegen seiner Aussprache, die dem englischen *card* ähnelt, heißt 卡 interessanterweise auch „Karte". Die Wendung für „Geburtstagskarte" lautet daher 生日卡 (sheng¹ ri⁴ ka³).

老 alt (lao³)

In Orakelknochen-Inschriften zeigte dieses Zeichen einen alten Mann mit langem Haar, der sich über einen Stock beugt.

老人 „alter Mensch" (lao³ ren²; alt + Mensch)

老太太 „alte Dame" (lao³ tai⁴ tai; alt + Ehefrau)

老友 „alter Freund" (lao³ you³; alt + Freund; mehr zu „Freund" auf Seite 187)

老鳥 „Veteran" (lao³ niao³; alt + Vogel)

Ein weiteres Zeichen mit der Bedeutung „alt" oder „uralt" ist 古 (gu³). Erkennen Sie die „Zehn" 十 auf dem „Mund" 口?

左 links (zuo³)

In Orakelknochen-Inschriften zeigte dieses Zeichen eine linke Hand. Später war die Bedeutung einfach „links“; der Rest der „linken Hand“ ist jedoch in der modernen Form des Zeichens immer noch zu erkennen, nämlich in dem Bestandteil 𠂇.

右 rechts (you⁴)

Das Zeichen für „rechts" hat einen ähnlichen Ursprung wie das Zeichen für „links" 左: Anfangs zeigte es eine rechte Hand. Der Bestandteil „Mund" 口 (siehe S. 138) wurde später unten eingefügt und wegen 口 merke ich mir das Zeichen so: Als Rechtshänderin benutze ich meine rechte 右 Hand zum Essen.

中 Mitte (zhong^{1})

Ursprünglich zeigte dieses Zeichen einen Fahnenmast in der Mitte einer Friedenszone. Im alten China legten zu Beginn eines Krieges beide Seiten eine Friedenszone fest und stellten einen Fahnenmast auf, der die Mitte der Zone festlegte. In der modernen Form des Zeichens ist aus dem Fahnenmast eine einfache senkrechte Linie geworden.

中 ist auch eine Abkürzung für „China" (siehe S. 174), da die Chinesen sich für die Mitte des Universums hielten.

In der Aussprache „zhong^{1}" mit hohem Ton bedeutet das Zeichen „Mitte" oder „Zentrum". Wird es „zhong^{4}" mit fallendem Ton ausgesprochen, heißt es „das Ziel treffen".

平 gleich (ping²)

Dieses Zeichen ist eine Kombination aus „Schild" 干 (gan¹) und 丷, der Form von „acht", die in Zusammensetzungen verwendet wird. Es bedeutet auch „sanft", „flach" und „eben".

好平 so flach (hao³ ping²)

so + gleich/flach

不平 nicht flach/uneben (bu⁴ ping²)

nicht + gleich/flach = uneben

半 halb (ban⁴)

Passenderweise hat das Zeichen für „halb" eine symmetrische Form. Teilt man es längs, erhält man zwei spiegelgleiche Hälften.

半百 fünfzig (ban⁴ bai³)

halb + hundert = fünfzig

Die Hälfte von hundert ist fünfzig. Ganz einfach! 半百 wird häufig als elegante Wendung genommen, um das Alter eines Menschen anzugeben.

„Fünfzig" lässt sich aber natürlich auch als 五十 (wu³ shi²; siehe S. 24) schreiben.

一半 eine Hälfte (yi² ban⁴)

eins + Hälfte

In bestimmten Zusammenhängen kann diese Wendung auch einfach die Bedeutung „halb" tragen.

一点半 halb zwei (yi⁴ dian³ ban⁴)

eins + Uhr + halb = halb zwei

Ähnlich wie im Englischen (*half past one*) werden auch im Chinesischen die halben Stunden nach folgendem Muster angegeben:

Stunde + „Uhr" 点 + „halb" 半

„Halb drei" ist also „zwei" 二 + „Uhr" 点 + „halb" 半 usw.

長 lang/wachsen
(chang²/zhang³)

Ursprünglich zeigte dieses Zeichen einen Menschen mit langem Haar. Im alten China ließen die Männer ihre Haare lang wachsen. Sie durften sie nicht schneiden, weil die Haare als etwas galten, das Kinder von ihren Eltern bekamen, und daher wie ein wertvolles Geschenk behandelt wurden.

Auf diese Weise entstand die Bedeutung „lang" für dieses Zeichen. Auf Chinesisch heißt die berühmte Große Mauer 長城 (chang² cheng²), weil sie so lang ist.

Spricht man 長 „zhang³" aus, bedeutet es „wachsen", was sich entweder auf körperliches Wachstum beziehen kann oder auf die Entwicklung bestimmter Merkmale. Diese zweite Bedeutung ist ganz logisch, wenn man bedenkt, dass die Männer im alten China auch körperlich wuchsen, während sie ihre Haare wachsen ließen. Die vereinfachte Form lautet 长.

太長 „zu lang"

好長 „sehr lang"

不長 „nicht lang"

長大 aufwachsen
(zhang³ da⁴)

wachsen + groß = aufwachsen

Wenn wir aufwachsen, werden wir auch körperlich größer.

高 groß/hoch
(gao^{1})

Weil eine Rakete nach oben schießt, drückt die Illustration die Bedeutung dieses Zeichens besonders gut aus: „groß" oder „hoch". 高 kann sich genauso auf die Höhe eines Gegenstands beziehen wie auf die Körpergröße eines Menschen.

太高 „zu groß/hoch"

好高 „sehr groß/hoch"

不高 „nicht groß/hoch"

長高 groß werden
(zhang^{3} gao^{1})

wachsen + groß

長不高 nicht groß werden können
(zhang^{3} bu^{4} gao^{1})

wachsen + nicht + groß = nicht groß werden können

Wenn jemand etwas nicht tun oder sein kann, wird die Negativpartikel 不 („nicht") zwischen Verb (長) und Adjektiv (高) gesetzt.

長不大 nicht aufwachsen können
(zhang^{3} bu^{4} da^{4})

wachsen + nicht + groß = nicht aufwachsen können

長好高 sehr groß werden
(zhang^{3} hao^{3} gao^{1})

wachsen + sehr + groß

Zum Weiterlesen

Weder A noch B: 不 A 不 B

„不 A 不 B" ist eine interessante chinesische Wendung, die ähnlich wie das deutsche „weder A noch B" verwendet wird. Wie die Beispiele unten zeigen, können „A" und „B" durch verschiedene Zeichen ersetzt werden, um unterschiedliche Wendungen zu bilden.

不大不小 (bu⁴ da⁴ bu⁴ xiao³)

[wörtlich] nicht groß, nicht klein

Wenn etwas „weder zu groß noch zu klein" ist, hat es die ideale Größe. Je nach Kontext verwenden wir 不大不小 manchmal auch, um das Alter eines Menschen zu beschreiben, vor allem bei Teenagern oder jungen Leuten Anfang zwanzig.

不左不右 (bu⁴ zuo³ bu⁴ you⁴)

[wörtlich] nicht links, nicht rechts

Diese Wendung bedeutet „weder links noch rechts". Sie kann auch in einem politischen Kontext verwendet werden.

不上不下 (bu⁴ shang⁴ bu⁴ xia⁴)

[wörtlich] nicht oben, nicht unten

Diese Wendung bedeutet „weder oben noch unten" im Sinne von „in der Mitte feststecken". Häufig wird sie in der Beschreibung einer beruflichen Karriere verwendet.

不三不四 (bu⁴ san³ bu⁴ si⁴)

[wörtlich] nicht drei, nicht vier

Dieser sehr häufige Ausdruck bedeutet „zweifelhaft". Wenn wir einen Menschen mit 不三不四 beschreiben, bedeutet er „jemand mit zwielichtigem Charakter".

Chinesische Verstärkungs- und Bestimmungswörter

Im Deutschen verwenden wir Wörter wie „sehr", „so" oder „äußerst", um beschreibende Wörter - Adjektive - zu verstärken. Solche Wörter werden „Verstärkungswörter" oder „Verstärkungspartikeln" genannt.

In diesem Kapitel habe ich die chinesische Verstärkungspartikel 好 (hao³) vorgestellt, die vor einem Adjektiv die Bedeutung „so" oder „sehr" trägt. Auch haben wir bereits gesehen, dass 太 (tai⁴) „äußerst" oder „so" bedeuten kann (siehe S. 63). Hier stelle ich Ihnen noch einige andere chinesische Verstärkungswörter vor:

很 „sehr" (hen³) - dieses Zeichen kann auch als neutrales „Füllwort" verwendet werden, siehe unten.

真 „wirklich" (zhen¹)

最 „äußerst" (zui⁴)

特別 „besonders" (te⁴ bie²)

比較/比较 „relativ/vergleichbar" (bi³ jiao⁴)

有一點/有一点 „etwas" (you³ yi¹ dian³)

很 hat manchmal keine bestimmte Bedeutung, vor allem in Sätzen, die Gefühle oder Zustände beschreiben. So bedeutet 我很好 (wo³ hen³ hao³) „Es geht mir gut." 我 heißt „ich", 好 heißt „gut" und 很 fungiert hier als Füllwort ohne bestimmte Bedeutung.

Entscheidungsfragen im Chinesischen

Im Chinesischen gibt es mehrere Möglichkeiten, Entscheidungsfragen zu stellen, auf die mit Ja oder Nein geantwortet wird. Ich zeige Ihnen hier die beiden häufigsten. Eine Möglichkeit besteht darin, die Fragepartikel 嗎 (ma) am Ende eines Satzes anzuhängen. Beispiele:

你高。 „Du bist groß." (ni³ gao¹)

你高嗎? „Bist du groß?" (ni³ gao¹ ma?)

Die Reihenfolge der Zeichen ist in beiden Sätzen gleich, aber der zweite Satz endet mit der Fragepartikel 嗎, die einen Aussagesatz in einen Fragesatz verwandelt.

Auf diese Weise kann man ganz einfach Fragesätze bilden. Noch ein Beispiel: 王太太好嗎? „Geht es Frau Wang gut?" (wang² tai⁴ tai hao³ ma?)

Eine andere Möglichkeit, Entscheidungsfragen zu bilden, besteht darin, mithilfe der Negativpartikel 不 („nicht"; bu⁴) einen Positiv-Negativ-Satz zu bilden. Dazu nehmen wir ein Adjektiv oder Verb eines Aussagesatzes und bauen einen Satz nach dem folgenden Muster: Adjektiv (oder Verb) + 不 + Adjektiv (oder Verb).

Beispiele:

你高不高? „Bist du groß?" (ni³ gao¹ bu⁴ gao¹?)

[wörtlich] Du groß oder nicht groß?

水星大不大? „Ist der Merkur groß?" (shui³ xing¹ da⁴ bu⁴ da⁴?)

[wörtlich] Merkur groß oder nicht groß?

你是不是王太太? „Sind Sie Frau Wang?" (ni³ shi⁴ bu⁴ shi⁴ wang² tai⁴ tai?)

[wörtlich] Sie sind oder nicht sind Frau Wang?

Ein Fragezeichen muss dabei auf jeden Fall gesetzt werden, unabhängig davon, ob man 嗎 oder 不 verwendet. Der chinesische Satzpunkt ist übrigens ein kleiner Kreis, der so viel Platz einnimmt wie ein Zeichen (siehe erstes Beispiel).

耳 目 目 耳
牙
手
手
心

KAPITEL 7

GESUNDHEIT & WOHLBEFINDEN

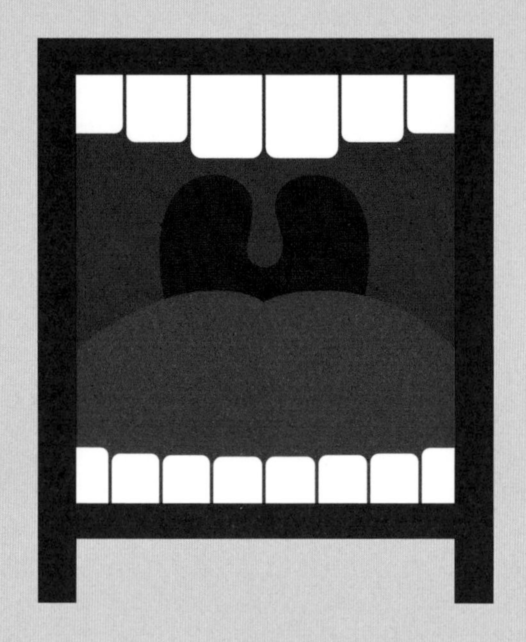

口 Mund (kou³)

Wie unsere Illustration deutlich zeigt, bedeutet das Zeichen 口 „Mund". Es besteht aus einem einfachen Quadrat – ignorieren Sie die beiden Beinchen unten einfach, sie entstehen nur durch den Zeichensatz, den wir in diesem Buch benutzen!

口 ist ein sehr nützlicher Baustein. Wenn wir zum Beispiel „kein" 不 oben auf „Mund" setzen, erhalten wir „verneinen" 否 (fou³). Setzen wir „Frau" 女 neben „Mund", ist sie „gehorsam" 如 (ru²) den Befehlen ihres Vaters und ihres Ehemannes gegenüber. Neben „gehorchen" heißt 如 auch „falls" und „wie". Was ist die natürliche Reaktion, wenn ein Baby „Erde" 土 in den Mund nimmt? Es „spuckt" 吐 (tu³) die Erde aus; 吐 bedeutet „spucken".

„Mund" ist leicht zu verwechseln mit dem Baustein „umgeben" 囗 (wei²). Das Zeichen für „umgeben" steht jedoch nie allein, wenn Sie also 口 solo finden, heißt es immer „Mund". Außerdem befindet sich immer noch ein anderer Baustein innerhalb von „umgeben". So ist „zurückkehren" 回 (hui²) eine Kombination aus „Mund" und „umgeben". Wenn ein „Mensch" 人 eingesperrt ist, dann ist er ein „Gefangener" 囚 (qiu²).

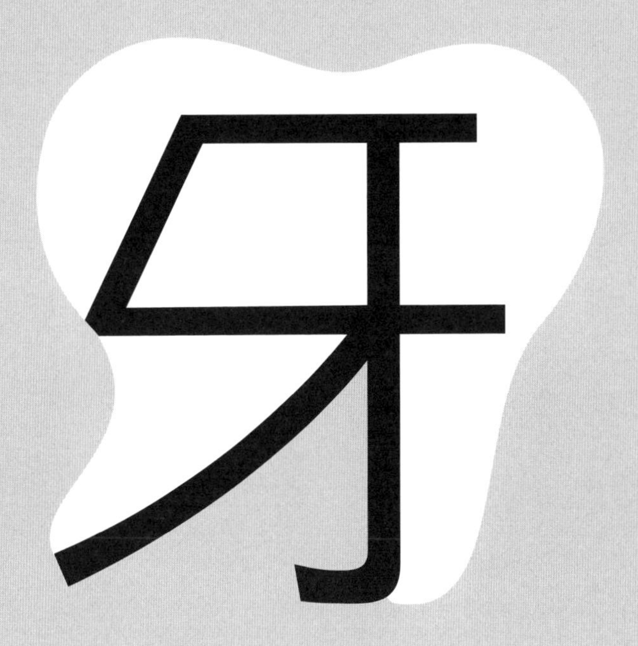

牙 Zahn (ya²)

In der Bronzeschrift ähnelte das Zeichen für „Zahn“ einer oberen und unteren Zahnreihe, die aufeinanderbeißen. Auf Chinesisch heißt „Backenzahn“ 大牙 (da⁴ ya²; groß + Zahn), „Eckzahn“ ist 犬牙 (quan³ ya²; Hund + Zahn) und „Schneidezahn“ heißt 門牙 (men² ya²; Tor + Zahn).

牙 wird synonym mit dem Zeichen 齒 (chi³) verwendet. Selbst ohne Illustration erkenne ich bei diesem Zeichen einen großen Mund mit zwei Reihen scharfer Zähne!

耳 Ohr (er³)

耳 gehört zu den alten chinesischen Piktogrammen – die ursprüngliche Form sah genau wie ein Ohr aus. Heute kann man sich vorstellen, dass die Ohröffnung das äußere Kästchen ist (口), der innere Knorpel die beiden waagerechten Linien (二) und das Ohrläppchen sieht man rechts unten (十).

左耳 linkes Ohr (zuo³ er³)

右耳 rechtes Ohr (you⁴ er³)

Der „König" 王 ist das „Ohr" 耳 und der „Mund" des „Heiligen" 聖 (sheng⁴). Dieses Zeichen basiert auf der Vorstellung, dass der Heilige Weisheit spricht und verbreitet und der Stimme des Göttlichen lauscht.

Ein „Ohr" 耳 und ein „Auge" 目 (siehe nächste Seite) zusammen bilden die Wendung für „Geheimdienstinformationen" oder „spionieren": 耳目 (er³ mu⁴). Wer seine Augen und Ohren überall hat, sammelt Informationen.

目 Auge (mu^{4})

Ursprünglich war dieses Zeichen ein Piktogramm eines menschlichen Auges. Im Vergleich zur heutigen Form war es um 90 Grad im Uhrzeigersinn gedreht und hatte geschwungenere Linien. Im Verlauf der Entwicklung der chinesischen Sprache wurden viele Zeichen begradigt, damit sie leichter zu schreiben waren. Weitere Beispiele dafür sind „Mund" 口 und „Hand" 手 (siehe Seite 146).

Fügt man oben einen Punkt zum „Auge" hinzu, bedeutet das neue Zeichen „selbst" oder „sich": 自 (zi^{4}). Man kann sich gut merken, dass wir mit den Augen in uns selbst hineinsehen können.

目光 Sicht/Blick (mu^{4} guang^{1}; Auge + Licht)

头 Kopf (tou)

Viele vereinfachte Zeichen wurden erst 1949 eingeführt, als die Kommunistische Partei die Kontrolle über Festlandchina übernahm. Mit dem Zeichen für „Kopf" verhält es sich jedoch anders. Die moderne vereinfachte Form 头, die aussieht wie „groß" 大 mit zwei Punkten links oben, ist schon seit Jahrtausenden in Gebrauch.

Die traditionelle Form lautet 頭. Manchmal liefert die traditionelle Form eines Zeichens mehr Hinweise auf seine Bedeutung als die vereinfachte. Aber in diesem Fall finde ich, das vereinfachte Zeichen lässt sich besser merken.

头 wird manchmal auch in der Bedeutung „einzeln" verwendet:

石头 einzelner Stein (shi[2] tou; Stein + Kopf, siehe auch Seite 95)

骨头 einzelner Knochen (gu[3] tou; Knochen + Kopf, Knochen siehe Seite 148)

Die Wendung 头大 (tou da[4]) kann wörtlich jemanden mit einem „großen Kopf" bezeichnen oder im übertragenen Sinne bedeuten, dass man nicht weiß, wie man mit einem Problem umgehen soll, etwa in der Richtung „Mir platzt gleich der Kopf [vom Grübeln]".

发 Haare (fa^{3})

发 ist die vereinfachte Form von gleich zwei sehr nützlichen Zeichen: „Haare“ 髮 und „starten“ 發. Das traditionelle Zeichen für „Haare“ (髮) besteht aus den Zeichen: „Haare“ 髟 (biao^{1}) als Bedeutungsträger und 犮 (ba^{2}) als Aussprachegeber. 犮 hatte früher die Bedeutung „Hund“, aber im modernen Chinesisch tritt es nur als Bestandteil von Zusammensetzungen auf, um die Aussprache anzugeben.

Wenn 发 als Verb verwendet wird, spricht man es „fa^{1}“ aus. Seine traditionelle Form (發) gehört wohl zu den beliebtesten Zeichen in der chinesischen Sprache. 發 stand ursprünglich für das Geräusch einer Bogensehne beim Abschießen eines Pfeils, doch später erweiterte sich die Bedeutung auf „starten“ und „abfahren“. Wieder etwas später beschrieb man damit jemanden, der großen Erfolg hatte. Das Zeichen für „acht“ 八 (ba^{1}) gilt als Glückszeichen, weil es ähnlich klingt wie 发/發.

发生 geschehen (fa^{1} sheng^{1}; starten + Geburt)

发明 erfinden (fa^{1} ming^{2}; starten + Helligkeit)

发炎 sich entzünden (fa^{1} yan^{2}; starten + Entzündung)

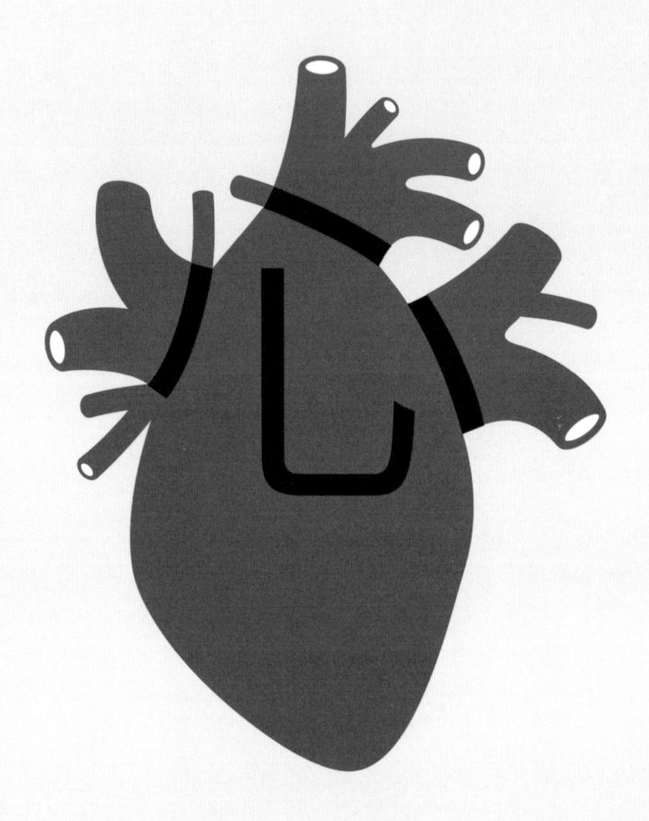

心 Herz (xin[1])

Die ursprüngliche Form dieses Zeichens zeigte ein Herz. An unserer Illustration können Sie erkennen, dass die kürzeren, schrägen Striche die Hauptarterien darstellen sollen, die das Blut vom Herzen in den Körper pumpen.

Wo das Herz (心) in der Mitte (中) steckt, da liegt unsere „Loyalität“ 忠 (zhong[1]). Das Herz (心) mit fruchtbarem Boden (田), zeigt, dass man nachdenkt; 思 (si[1]) bedeutet daher „denken“. Ist man hinter einer Tür (門) eingesperrt, ist es „stickig“ und man ist schnell „gelangweilt“ 悶 (men[4]).

In der Form 忄 wird das Zeichen als Bestandteil bestimmter Zusammensetzungen verwendet. Typischerweise hat ein zusammengesetztes Zeichen, das 心 oder 忄 mit einschließt, etwas mit Gefühlen oder Denken zu tun. So ist zum Beispiel das Herz „tot“ 亡 (wang[2]), wenn man „beschäftigt“ 忙 (mang[2]) ist.

舌 Zunge (she²)

舌 gehört zu den alten chinesischen Piktogrammen ınd zeigt ursprünglich eine gespaltene Zunge, die ıus einem Mund ragt.

)ie Wendung 口舌 (kou³ she²) kann die wörtliche 3edeutung „Mund und Zunge" tragen, wird aber auch ür „streiten" benutzt.

長舌 (chang² she²; lang + Zunge) bedeutet „Tratsch". Venn jemand eine sehr lange Zunge hat, ist er oder ie ein „Schwätzer".

舌尖 (she² jian¹) kann „Zungenspitze" bedeuten, wie die wörtliche Übersetzung schon vermuten lässt, wird aber auch im Sinne von „Geschmack" verwendet. Eine beliebte Fernsehsendung in China heißt „Ein Bissen China" 舌尖上的中国 (she² jian¹ shang⁴ de zhong¹ guo²); darin geht es um die Geschichte des Essens in den verschiedenen Teilen des Landes.

手 Hand (shou^{3})

In seiner ursprünglichen Form war dieses Zeichen eine interessante Darstellung der menschlichen Hand. Der obere Strich war früher mit dem senkrechten verbunden und stellte den Mittelfinger dar. Die anderen beiden waagerechten Striche waren nach oben gebogen und zeigten die anderen Finger der Hand. Ich kann mir das Zeichen am besten merken, wenn ich an die Handlinien denke.

In der Form 扌 taucht das Zeichen als Bestandteil verschiedener Zusammensetzungen auf. Dieser Bestandteil wird „die hebende Hand" 提手旁 (ti^{2} shou^{3} pang^{2}) genannt. 手 wird übrigens nur zu 扌, wenn es links in einer Zusammensetzung steht. Zusammengesetzte Zeichen, die 扌 enthalten, haben meist etwas mit Handlungen zu tun, für die man die Hände braucht, wie „schlagen" 打 (da^{3}), „stehlen" 扒 (pa^{2}) und „auf den Schultern tragen" 扛 (kang^{2}).

左手 linke Hand (zuo^{3} shou^{3})

右手 rechte Hand (you^{4} shou^{3})

左右手 jemandes rechte Hand (Assistent) (zuo^{3} you^{4} shou^{3}; links + rechts + Hand)

足 Fuß (zu²)

Das Zeichen für „Fuß“ bedeutete ursprünglich auch „Truppen ausheben“. Das ist logisch, da die größte Abteilung einer Armee die Infanterie stellte, also die Fußsoldaten. (Später entstand ein anderes Zeichen speziell für die Bedeutung „Truppen ausheben“.) Das alte Zeichen für 足 stand für das gesamte Bein; erst in moderner Zeit ging die Bedeutung auf „Fuß“ zurück.

Als Adjektiv bedeutet das Zeichen „ausreichend“ oder „reichlich“. Um das Gegenteil auszudrücken, benutzen wir die Wendung 不足 (bu⁴ zu²), wenn etwas „nicht genug“ oder „unzureichend“ ist.

手足 Geschwister (shou³ zu²)

Die Menschen, die uns genetisch am nächsten stehen, sind wohl unsere Geschwister – sofern man keinen Klon hat. Um die enge Beziehung zwischen Geschwistern auszudrücken, werden sie mit den Zeichen für „Hand und Fuß“ bezeichnet. Diese elegante Wendung wird sehr häufig benutzt.

手口足病 Hand-Fuß-Mund-Krankheit (shou³ kou³ zu² bing⁴; Hand + Mund + Fuß + Krankheit; „Krankheit“ siehe Seite 149)

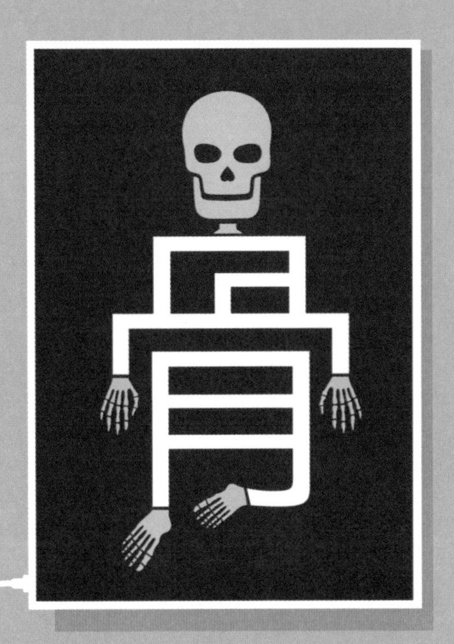

骨 Knochen (gu³)

Die alte Form des Zeichens für „Knochen“ war eine Kombination aus „Schädel“ 冎 (gua³) und dem alten Zeichenbestandteil für „Fleisch“ 月; heute wird der moderne Bestandteil für „Fleisch“ in Zusammensetzungen verwendet: (siehe „Fleisch“, Seite 212). Dies ist ein typisches Ideogramm. Die Bedeutung des Zeichens wurde inzwischen auf „Rahmen“ und „Gerüst“ erweitert.

头骨 Schädel (tou gu³; Kopf + Knochen)

疒 (Bestandteil „Krankheit“; ne⁴)

Den Baustein 疒 gibt es nicht als eigenständiges Zeichen. In zusammengesetzten Zeichen trägt er die Bedeutung „Krankheit“. Die Form von 疒 ähnelte ursprünglich einem Kranken, der im Bett schwitzt.

症 Erkrankung (zheng⁴)

病 Krankheit (bing⁴)

疾 Krankheit (ji²)

痛 Schmerz (tong⁴)

疼 Schmerz (teng²)

疲 erschöpft (pi²)

瘁 ermattet (cui⁴)

疯 verrückt (feng¹)

牙痛 Zahnschmerzen (ya² tong⁴; Zahn + Schmerz)

心痛 Sodbrennen (xin¹ tong⁴; Herz + Schmerz)

头痛 Kopfschmerzen (tou tong⁴; Kopf + Schmerz)

大病 tödliche Erkrankung (da⁴ bing⁴; groß + Krankheit)

小病 leichter Infekt (xiao³ bing⁴; klein + Krankheit)

病人 Patient (bing⁴ ren²; Krankheit + Mensch)

生病 erkranken (sheng¹ bing⁴; erzeugen + Krankheit)

Wenn das „Herz“ 心 „krank“ 病 ist, hat man eine „Herzerkrankung“ 心病 (xin¹ bing⁴). Diese Wendung kann auch andeuten, dass man paranoid oder von etwas besessen ist.

9 nützliche Zeichen

Auch wenn Sie nur einige Bausteine kennen, können Sie daraus durch Kombinationen viele weitere chinesische Zeichen bilden. Da es so viele interessante Zeichen gibt, die ich Ihnen in diesem Buch zeigen möchte, reicht der Platz an dieser Stelle nur für einige Beispiele, die sich aus den Bausteinen aus den Kapiteln 1 bis 7 bilden lassen: 8 neue Zusammensetzungen und 1 neuer Baustein („Jade"). Nach der Aussprache folgen jeweils die Seitenzahlen, auf denen die entsprechenden Bausteine zu finden sind. Aus dem, was Sie bisher gelernt haben, könnten Sie bereits einige Hundert neue Zeichen und Wendungen bilden – ist das nicht fantastisch?

Zum Weiterlesen

Traditionelle chinesische Medizin

Als mein erstes Kind MuLan geboren wurde, machte ich gerade meinen Master an der University of Cambridge. An dem Tag, an dem sie zur Welt kam, hatte ich eigentlich Unterricht, aber an diesem Morgen traf ich die richtige Entscheidung, lieber ins Krankenhaus zu fahren. MuLan wurde nach 12 komplizierten und dramatischen Stunden Wehen geboren. Zwei Wochen später kehrte ich ins Studentenwohnheim zurück, nahm mein Studentinnenleben wieder auf und versuchte, Vorlesungen, Seminare, Prüfungen und Fütterungszeiten unter einen Hut zu bringen. Alles, was ich tat, verstieß gegen die Grundprinzipien der Geburtsnachsorge in der traditionellen chinesischen Medizin (TCM), nach der Frauen eine strenge Diät halten und im Bett bleiben sollten – kein Duschen, kein Haarewaschen, keine Kälte, kein Wind, kein kaltes Essen, kein Treppensteigen oder Herumlaufen und kein Lesen für mindestens 30 Tage nach der Geburt. Diese Praxis wird „Einschränkungsprozess" 坐月子 (zuo⁴ yue⁴ zi) genannt.

Ich war eine aktive Vollzeitstudentin und hingebungsvolle Erstlingsmutter, die gerade eine neue Sprache lernte und ein intensives Fortgeschrittenenstudium in einem fremden Land belegte. Ich brach jede einzelne Einschränkungsregel bis auf eine: keine eiskalten Getränke und kein kaltes Essen, das hatte meine Mutter mir schon beigebracht, als ich klein war. Nach der TCM können kalte Speisen und Getränke die Milz schädigen, nicht nur das Organ selbst, sondern auch das gesamte System des Elements Erde im Körper. Das kalte Essen „trübt" das Erdelement und eine Übersättigung unterbricht die effiziente Funktionsweise der Milz, die Nährstoffe aufnimmt. Dies könnte wiederum das gesamte Immunsystem beeinträchtigen.

Die traditionelle chinesische Medizin gehört in Ostasien seit Jahrtausenden zum Alltag. Ich war so neugierig auf die Theorien hinter der TCM und ihre geheimnisvollen Praktiken, dass ich einen Abendkurs in Akupunktur (針灸; zhen¹ jiu³) belegte, als ich noch in Taipeh studierte. Meine Lehrerin war eine hoch angesehene Professorin in Taiwan und China. Ich dachte, in dem Kurs würde es hauptsächlich um die Theorie gehen, aber sie ließ alle Kursteilnehmer schon in der ersten Stunde nach nur zehn Minuten an sich selbst üben. Ich nahm eine lange, dünne sterile Nadel und stach in mein He-Gu (合谷) zwischen Daumen und Zeigefinger. Ich fühlte einen Schmerz und eine Art Stromstoß durch den linken Arm. Ich war nicht sicher, ob ich es richtig machte, aber ich versuchte einfach, den Anweisungen zu folgen. Am selben Abend stachen wir uns noch mehr Nadeln in verschiedene andere Punkte an Beinen, Füßen und Ellbogen. Ich besuchte den Kurs jede Woche und übte eifrig.

Vor einigen Jahren kam meine Schwester Anchi nach London. Damals litt sie an einem Tennisarm. Ich begleitete sie ins Krankenhaus zu einer Operation und war erstaunt, dass die „westliche" Prozedur (Arthroskopie), die der Arzt durchführte, der Akupunktur nicht unähnlich war. Skeptiker argumentieren häufig, dass die TCM keine wissenschaftliche Grundlage hat. Ich kann das nicht beurteilen. Ich weiß nur, dass meine Akupunkturfähigkeiten heute stark eingerostet sind. Dennoch ist mir das Wissen, das ich erworben habe, immer noch sehr wichtig. Ich habe gelernt, den menschlichen Körper ganzheitlicher zu sehen und achtsam für jede Empfindung zu sein, die ich erlebe. Mein Studium der Akupunktur lehrte mich auch Demut: Was wir nicht wissen, ist weitaus mehr als das, was wir schon kennen.

KAPITEL 8

REISEN

車 Auto (che[1])

Dieses Zeichen stellt ursprünglich einen hölzernen Karren dar und bedeutet „Fahrzeug". Im alten China wurden Karren überwiegend im Krieg benutzt; je mehr Karren man hatte, desto stärker war die Armee. Nach und nach wurden solche Karren auch zum Transport von Waren und Menschen verwendet.

Eine häufigere Bedeutung von 車 ist „Auto". Manchmal wird dafür auch die Wendung 車子 (che[1] zi) benutzt. Zwar kann 車 auch allein stehen, aber zusammen mit dem Suffix 子 (siehe Seite 72) wird klar, dass ein modernes Fahrzeug gemeint ist. Die vereinfachte Form des Zeichens sieht so aus: 车.

舟 Boot (zhou[1])

Dieses Zeichen hat die Form eines alten chinesischen Holzbootes, das aussah wie ein Stechkahn. 舟 ist ein ziemlich altertümlicher Ausdruck für „Boot". Heute verwenden wir eher das Zeichen 船 (chuan[2]), das sich aus 舟, „wie viele/kleiner Tisch" 几 (siehe Seite 160) und „Mund" 口 zusammensetzt.

Wenn Sie 舟 in einem zusammengesetzten Zeichen sehen, hat dieses etwas mit Booten oder Schiffen zu tun. So ist zum Beispiel „Sampan" 舢 (shan[1]) – ein flaches Holzboot – eine Kombination aus „Boot" 舟 und „Berg" 山. „Kajak" 舠 (dao[1]) setzt sich aus „Boot" 舟 und „Messer" 刀 (siehe Seite 192) zusammen. Dieses Zeichen trifft man jedoch nur selten an, vor allem, weil Kajakfahren nicht zur chinesischen Tradition gehört.

火車 Zug
(huo³ che¹)

Feuer + Fahrzeug = Zug

Züge wurden ursprünglich mit Dampf und Feuer angetrieben, deshalb wird aus „Feuer“ 火 plus „Fahrzeug“ 車 hier „Zug“.

公車 Bus
(gong¹ che¹)

öffentlich + Fahrzeug = Bus

Die Zeichen „öffentlich“ 公 (gong¹) und „Fahrzeug“ 車 bedeuten zusammen „Bus“. Ein anderer häufiger Ausdruck für „Bus“ ist 公交車 (gong¹ jiao¹ che¹). 交 (jiao¹) bedeutet „austauschen“, „kreuzen“ oder „[Freunde] finden“ (siehe Seite 188).

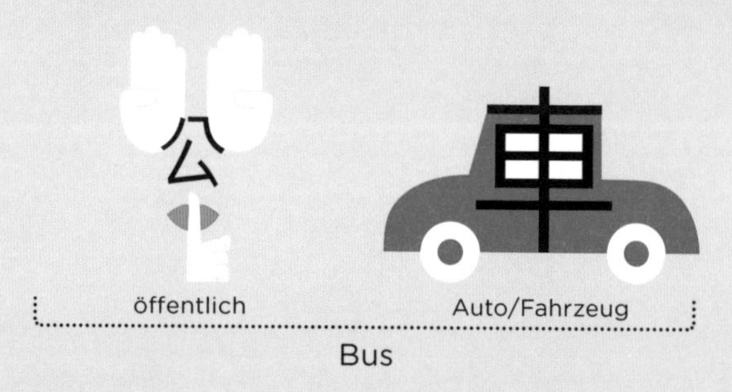

汽車 Auto(-mobil)
(qi⁴ che¹)

Dampf + Fahrzeug = Auto(-mobil)

Diese Wendung bezieht sich in der Regel auf Limousinen.

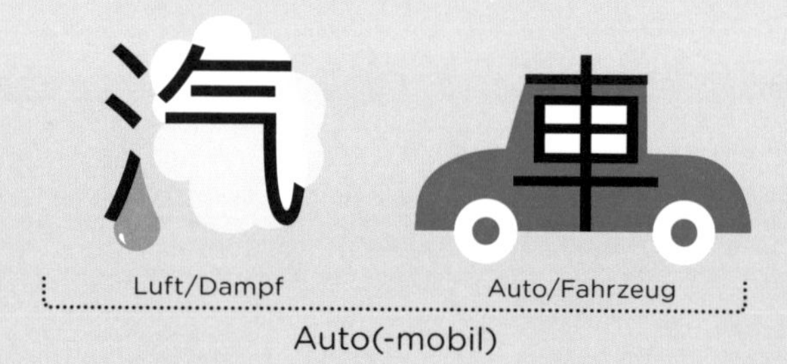

小汽車 Kleinwagen
(xiao³ qi⁴ che¹)

klein + Dampf + Auto(-mobil) = Kleinwagen

Pferdekutsche

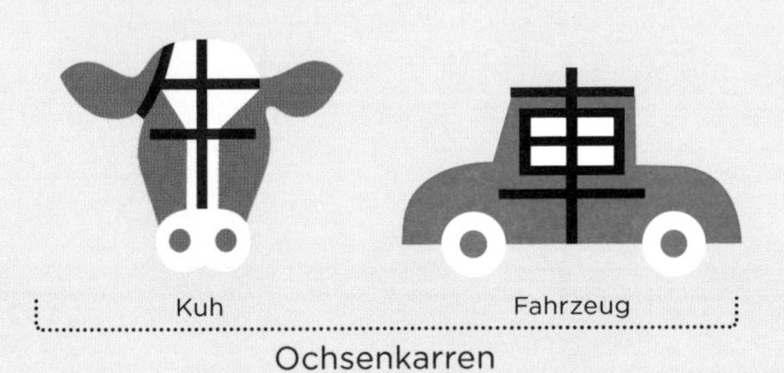

Ochsenkarren

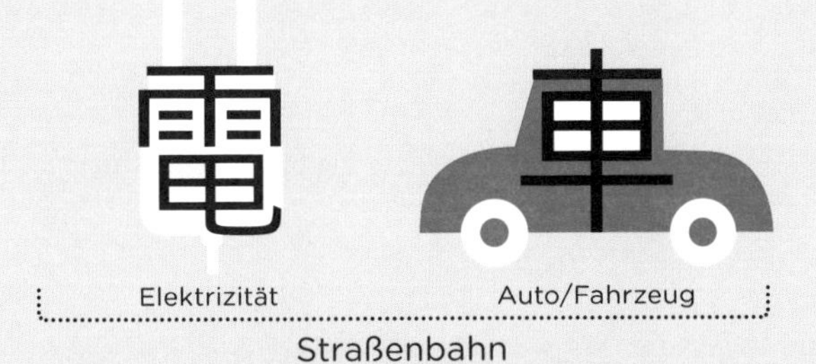

Straßenbahn

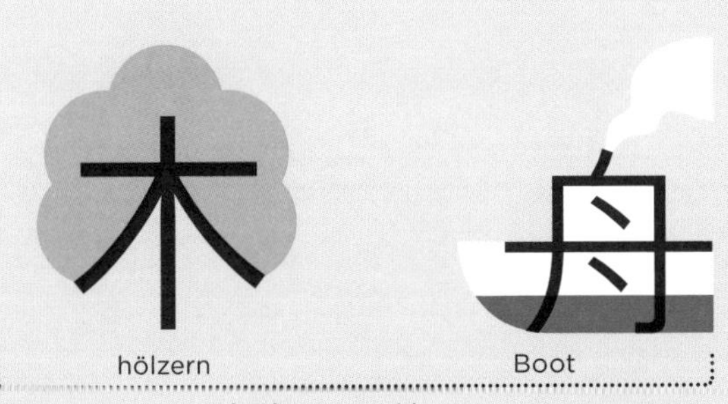

hölzernes Kanu

馬車 Pferdekutsche (ma3 che1)

Pferd + Fahrzeug = Pferdekutsche

牛車 Ochsenkarren (niu2 che1)

Kuh + Fahrzeug = Ochsenkarren

電車 Straßenbahn (dian4 che1)

Elektrizität + Fahrzeug = Straßenbahn

Elektroautos werden immer beliebter, aber das erste Transportmittel mit Elektroantrieb war eigentlich die Straßenbahn – deshalb bedeutet „Elektrizität“ 電 plus „Fahrzeug“ 車 auch „Straßenbahn“. Für Elektroautos hat sich dagegen die längere Wendung 電動汽車 (dian4 dong4 qi4 che1) eingebürgert, die sich wörtlich etwa mit „Elektrizität Bewegung Automobil“ wiedergeben lässt.

木舟 hölzernes Kanu (mu4 zhou1)

hölzern + Boot = hölzernes Kanu

站 stehen/Station

(zhan4)

Dieses Zeichen setzt sich zusammen aus dem Bedeutungsträger „stehen“ 立 (li4) und dem Lautgeber „besetzen“ 占 (zhan4). Wenn es als Nomen verwendet wird, bedeutet das Zeichen meistens „stehen“ oder „Station“.

开 öffnen/fahren
(kai[1])

Dies ist die vereinfachte Form des Zeichens. Die traditionelle Form lautet 開 und ist eine Kombination aus „Tor“ 門 (men[2]) und 开, die man sich merken kann als zwei Hände, die den Riegel an einer Tür aufschieben.

Neben seiner Hauptbedeutung „öffnen“ wird dieses Zeichen auch verwendet, wenn jemand etwas startet. Wenn wir zum Beispiel ein Gerät starten, schalten wir es ein. Wenn wir ein parkendes Auto starten, fahren wir. Daher heißt dieses Zeichen oft auch „einschalten“ oder „fahren“.

几 wie viele (ji³)

Sieht dieser Baustein nicht ganz ähnlich aus wie das Symbol für Pi (π)? Interessanterweise hat auch seine Bedeutung etwas mit Mathematik zu tun, denn es heißt „wie viele". Dies ist die vereinfachte Form, die traditionelle lautet 幾.

几 ist ein sehr nützliches Fragewort. So heißt zum Beispiel 几天? (ji³ tian¹?) „wie viele Tage?" und 几点? (ji³ dian³?), wörtlich „wie viel Uhr?", bedeutet „wie spät?"

Wenn 几 „ji" ausgesprochen wird, bedeutet es „kleiner Tisch".

机 Maschine (ji¹)

Dieses Zeichen ist eine Kombination aus „Baum" 木 und „wie viele" 几. Man kann sich dazu eine riesige Maschine vorstellen, die alle Bäume verschlingt. Ein schreckliches Bild! Dies ist die vereinfachte Form des Zeichens, die traditionelle lautet 機.

飞 fliegen (fei[1])

Ursprünglich zeigte dieses Zeichen einen Vogel, der mit den Flügeln schlägt und hochfliegt. Seine Bedeutung erweiterte sich später auf „fliegen". Dies ist die vereinfachte Form des Zeichens, die traditionelle sieht so aus: 飛.

Wenn wir 飞 und 船 kombinieren, erhalten wir ein „fliegendes Boot" 飞船 (fei[1] chuan[2]): ein Raumschiff!

上車 (in ein Auto) einsteigen

(shang^{4} che^{1})

aufsteigen + Auto/Fahrzeug = (in ein Auto) einsteigen

Diese Wendung wird auch für das Einsteigen in die meisten anderen Straßenfahrzeuge sowie in den Zug verwendet.

(in ein Auto) einsteigen

坐車 (mit dem Auto) fahren

(zuo^{4} che^{1})

sitzen + Auto/Fahrzeug = (mit dem Auto) fahren

Wenn man in oder auf einem Fahrzeug „sitzt" 坐 (zuo^{4}), dann fährt man damit. Die Wendung kann sich auch auf Züge, Busse oder Taxis beziehen.

(mit dem Auto) fahren

下車 (aus dem Auto) aussteigen

(xia^{4} che^{1})

hinabsteigen + Auto/Fahrzeug = (aus dem Auto) aussteigen

Wie die Wendung 上車 kann sich auch diese auf jede Art von Straßenfahrzeugen sowie auf Züge beziehen.

(aus dem Auto) aussteigen

飞机 Flugzeug

(fei^{1} ji^{1})

fliegen + Maschine = Flugzeug

Was kommt einem in den Sinn, wenn man an eine „fliegende Maschine" denkt? Ein Flugzeug natürlich!

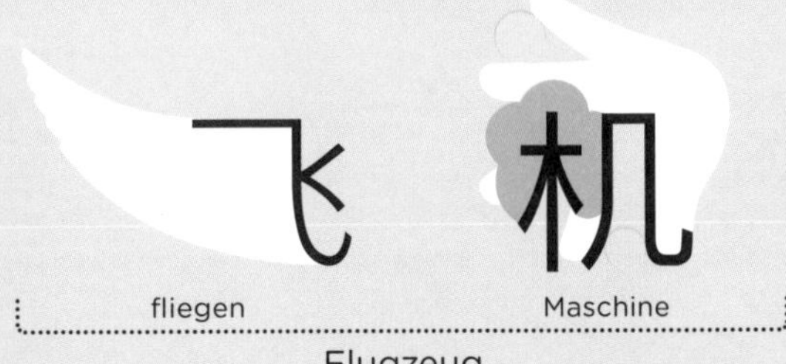

Flugzeug

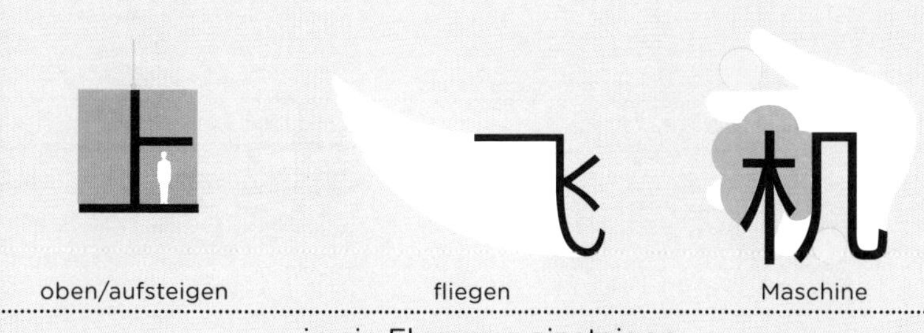

in ein Flugzeug einsteigen

上飞机 in ein Flugzeug einsteigen

(shang^4 fei^1 ji^1)

aufsteigen + Flugzeug = in ein Flugzeug einsteigen

Die Kurzform dieser Wendung lautet 上机 (shang^4 ji^1).

ein Flugzeug fliegen

开飞机 ein Flugzeug fliegen

(kai^1 fei^1 ji^1)

fahren + Flugzeug = ein Flugzeug fliegen

Achtung, die Wendung 开机 (kai^1 ji^1) heißt nicht auch „ein Flugzeug fliegen", sondern „eine Maschine/einen Computer einschalten". 机 wird häufig auch in der Bedeutung „Computer" verwendet.

mit dem Flugzeug fliegen

坐飞机 mit dem Flugzeug fliegen

(zuo^4 fei^1 ji^1)

sitzen + Flugzeug = mit dem Flugzeug fliegen

Achtung, keine voreilige Schlussfolgerung bitte: Die Kurzform 坐机 gibt es nicht!

aus dem Flugzeug aussteigen

下飞机 aus dem Flugzeug aussteigen (xia^4 fei^1 ji^1)

hinabsteigen + Flugzeug = aus dem Flugzeug aussteigen

Die Kurzform dieser Wendung lautet 下机 (xia^4 ji^1).

火車站
Bahnhof
(huo[3] che[1] zhan[4])

Zug + Station

火車 bedeutet „Zug“ und 站 heißt „Station“, also ist 火車站 der „Bahnhof“ – ganz easy!

公車站
Bushaltestelle
(gong[1] che[1] zhan[4])

Bus + Station

公車 bedeutet „Bus“ und 站 heißt „Station“, also ist 公車站 die Bushaltestelle.

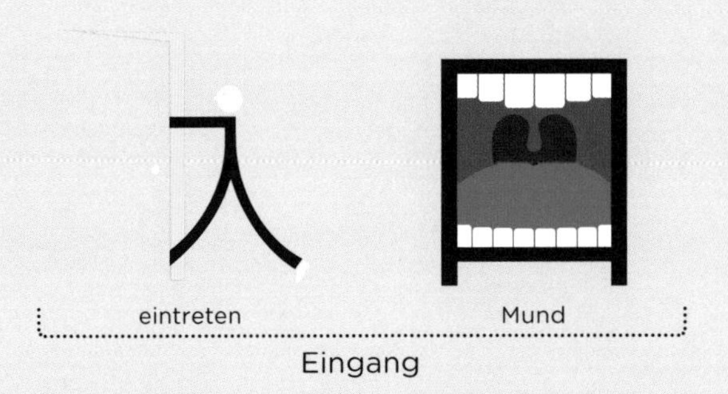

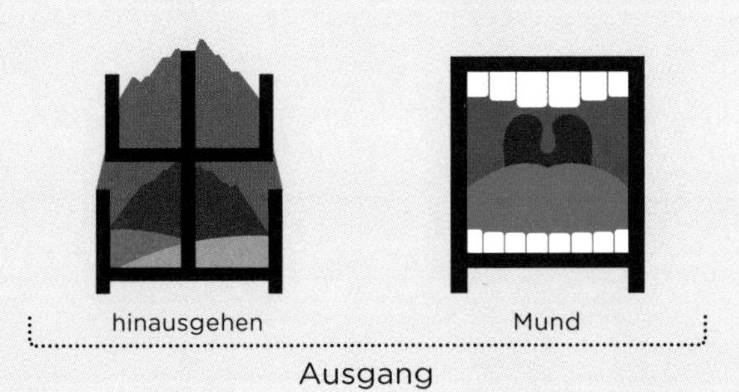

入口 Eingang

(ru⁴ kou³)

eintreten + Mund = Eingang

Diese einfache Wendung enthält die Bausteine „eintreten" 入 (ru⁴) und „Mund" 口. In diesem Zusammenhang bedeutet 口 „Eingang". Genau wie der Mund ein Eingang zum Körper ist, bezieht sich das Zeichen 入 auf das Eintreten. Wörtlich bedeutet diese Wendung also „Eintreten durch den Eingang".

出口 Ausgang

(chu¹ kou³)

hinausgehen + Mund = Ausgang

Ein „Mund" 口, der einem sagt, wo man „hinausgehen" 出 (chu¹) kann, steht für den „Ausgang".

出入口 Portal

(chu¹ ru⁴ kou³)

hinausgehen + eintreten + Mund = Portal

Etwas, durch das man entweder „hinausgehen" oder „eintreten" kann, ist ein „Portal".

Zum Weiterlesen

Chinas Wirtschaftswachstum und die Automobilbranche

1999, als ich noch ein Internet-Wunderkind mit eigenem Start-up-Unternehmen war, unternahm ich mehrere Reisen nach Beijing und Shanghai. Damals waren beide Städte gewaltige Baustellen. Mir machte es damals großen Spaß, zwischen heruntergekommenen Backsteingebäuden und Großbaustellen herumzulaufen. Beide Städte waren von Millionen von Fahrrädern und Motorrollern überschwemmt. Mit großen Augen staunte ich über das beeindruckende Atrium des Hyatt-Hotels mit dem Tonnengewölbe, ganz oben auf dem Jin Mao Tower im Shanghaier Viertel Pudong. Nach einem sündhaft teuren Drink mit ein paar Freunden verließ ich dieses golden glänzende Gebäude und dachte bei mir, dass Chinas aufkeimendes Wirtschaftswachstum sich die Welt bald untertan machen würde. Ich wartete vor dem Hoteleingang auf ein Taxi, aber es kam keins. Stattdessen bemerkte ich einen Wirbel aus gelbem Staub - ein Sandsturm zog auf. Ich wartete zehn Minuten, dann gab ich auf. Es gab damals keine Taxis in Pudong, also musste ich den Weg zurück zu meinem Hotel in Ruijin allein finden. Die Straße vor dem Hyatt befand sich noch im Bau und ich sah nichts als gelben Sand am trüben Himmel. Mehrere Hundert Meter weiter vorn erkannte ich einige Motorräder und Scooter, die zwischen ein paar Imbissbuden parkten. Dort fand ich dann mein Taxi. Ich bezahlte dem Fahrer 5 Yuan und er wies mich an, hinten auf sein klappriges Motorrad aufzusteigen. Zwanzig Minuten später war ich wieder in meinem Hotel, das Gesicht voller Sand.

2014 kehrte ich mit meinen Kindern zum Jin Mao Tower zurück. Diesmal jedoch erschien das prächtige Gebäude fast bescheiden und unbedeutend im Vergleich mit seinen atemberaubenden neuen Nachbarn. Vor den Wolkenkratzern und anderen Wahrzeichen der Stadt parkten Rolls-Royces, Bentleys und Lamborghinis.

Chinas rasches Wirtschaftswachstum lässt sich wahrscheinlich am besten an der Automobilbranche zeigen. 2009 überholte China die USA als größter Automobilmarkt der Welt. Von 2005 bis 2030 wird sich Chinas Automarkt noch einmal um das Zehnfache vergrößern. Allerdings gibt es auf Chinas Straßen auch die höchsten Todesraten weltweit: 2005 berichtete die Weltgesundheitsorganisation, dass dort jeden Tag etwa 45.000 Menschen bei Verkehrsunfällen verletzt und 680 getötet werden. Statistiken von 2012 zufolge fahren in China nur 3 Prozent aller Fahrzeuge auf der Welt, dafür kommt das Land aber auf 24 Prozent aller Verkehrstoten.

In Shanghai heuerte ich einen freundlichen Fahrer namens Wang an, uns zum West Lake (西湖; xi^1 hu^2) zu bringen. Es schien ihm zu gefallen, mit uns über seinen Traum zu plaudern, seine Kinder in die USA zu schicken, damit sie dort eine bessere Ausbildung genießen können. Er beneidete seine Freunde, die ihre Kinder früh ins Ausland schicken konnten. Ich sah ihm in die Augen und erkannte einen Mann mit Träumen. Plötzlich wurde mir klar, dass hinter dem Wirtschaftswachstum und der schwindelerregenden Bautätigkeit, hinter allen Statistiken, die wir zu sehen bekommen, etwas sehr viel Grundlegenderes und Fundamentaleres liegt, das uns antreibt: Liebe - Liebe für unsere Kinder und Familien und das Engagement, ihnen ein besseres Leben zu ermöglichen. In Wangs Vorstellung war das Entsenden seiner Kinder nach Amerika - in ein Land, in dem er noch nie war - eine Garantie für ihre Ausbildung und ihre gesamte Zukunft.

京

KAPITEL 9

STÄDTE & LÄNDER

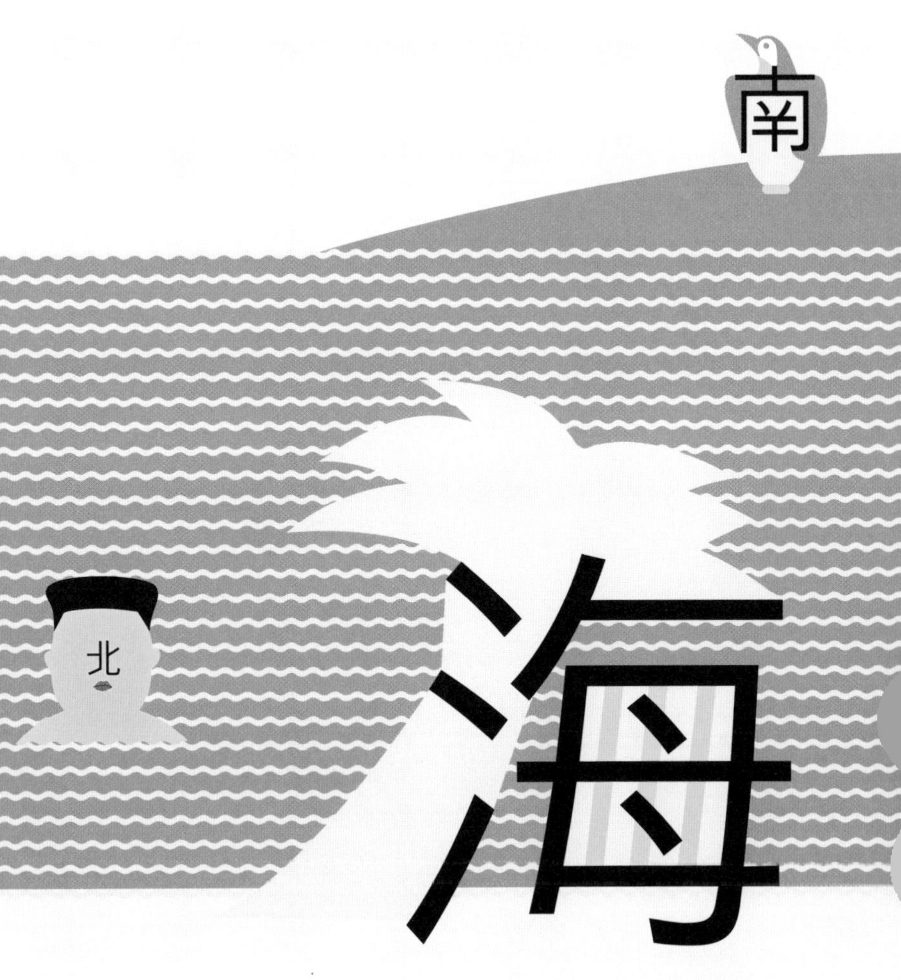

東 Osten (dong¹)

Wenn wir die „Sonne" 日 hinter den „Bäumen" 木 heraufkommen sehen, blicken wir nach „Osten" 東. Die vereinfachte Form des Zeichens sieht so aus: 东.

西 Westen (xi¹)

In der Orakelknochenschrift zeigte dieses Zeichen ein Nest. In der Siegelschrift setzte man einen Vogel daneben, um anzudeuten, dass Vögel in ihre Nester zurückkehren. Später entwickelte das Zeichen die Bedeutung „Westen", weil die Vögel müde in ihr Nest zurückkehren, wenn die Sonne im Westen untergeht. Ich persönlich erkenne in diesem Zeichen einen Cowboy im Wilden Westen.

南 Süden (nan²)

Ursprünglich war dieses Zeichen ein Piktogramm eines Schlaginstruments. Diese Bedeutung hat es jedoch schon lange verloren und heute bedeutet es nur noch „Süden". Meine stärkste Assoziation mit dem Begriff „Süden" sind die Pinguine in der Antarktis.

北 Norden (bei³)

In der Orakelknochenschrift zeigte dieses Zeichen zwei Menschen, die mit dem Rücken zueinander standen, und bedeutete „Rücken"; inzwischen hat sich die Bedeutung zu „Norden" verschoben. Ich stelle mir gern vor, dass diese beiden Menschen Rücken an Rücken im kalten Nordwind stehen. Ich habe mir lange den Kopf zerbrochen, wie man „Norden" visuell ausdrücken könnte, aber nun glaube ich, das ist genau die richtige Vorstellung!

Zählt man auf Chinesisch alle vier Himmelsrichtungen auf, ist die Reihenfolge übrigens immer 東西南北.

東西 Ding/Sache (dong¹ xi)

Osten + Westen = Ding/Sache

Ich liebe diese Wendung! Wenn wir „Osten" 東 und „Westen" 西 zusammensetzen, erhalten wir „Ding" oder „Sache" 東西. Es gibt mehrere mögliche Erklärungen für diese Wendung. Besonders gefällt mir diese: In der Zeit vom Aufgang der Sonne im Osten bis zu ihrem Untergang im Westen scheint sie auf viele Dinge auf der Erde.

北
東
南

京 Hauptstadt
(jing[1])

Wie heißt der Ort, wo alle Hochhäuser und wichtigen Regierungsmitglieder zusammenkommen? Richtig, das ist die Hauptstadt. 京, das Zeichen für „Hauptstadt", zeigte ursprünglich ein hohes Gebäude an einer erhöhten Stelle.

Im alten China kam nur der herrschenden Klasse das Privileg zu, ihre Paläste oder Villen aus strategischen, politischen oder militärischen Gründen an höher gelegenen Stellen zu errichten. Im Lauf der Zeit verschob sich die Bedeutung dieses Zeichen von „großes, von Königen bewohntes Gebäude" hin zu „Hauptstadt", da dies der Ort war, an dem alle politischen Anführer lebten.

海 Meer (hai³)

Dieses Zeichen ist eine Kombination aus der Form von „Wasser" in Zusammensetzungen, 氵, und „jede/-r/-s" 每 (mei³). Man kann auch „Mutter" 母 darin erkennen. Jeder Tropfen Wasser in unseren Flüssen und Bächen gelangt irgendwann schließlich ins Meer, genau wie Kinder zu ihren Müttern zurückkehren.

Die Zusammensetzung aus „Wasser" 氵 und „Schaf" 羊 bedeutet „Ozean" 洋 (yang²). Das Zeichen 洋 heißt außerdem „ausländisch"; ein Mensch oder ein Gegenstand, der den Ozean überquert, muss aus dem Ausland stammen. Ein „ausländischer" 洋 „Mensch" 人 ist demnach ein „Ausländer" 洋人 (yang² ren²).

中国 China (zhong¹ guo²)

Mitte + Land = China

Historisch gesehen bezog sich 中国 (wörtlich „mittlere Länder“) auf die Staaten in der Zentralebene. Die Wendung wurde in vorkaiserlichen Zeiten benutzt, um die Menschen aus diesen Staaten von den „Barbaren“ zu unterscheiden; erst im 19. Jahrhundert bezog sie sich auf das ganze Land. Die „Menschen“ 人 aus „China“ 中国 sind natürlich die „Chinesen“ 中国人 (zhong¹ guo² ren²).

Dies ist die vereinfachte Form, die traditionelle lautet 中國.

英国 England (ying¹ guo²)

mutig + Land = England

英 (ying¹) wird auch allein als Abkürzung für „England“ benutzt, weil seine Aussprache der ersten Silbe von „England“ ähnelt. Die Bedeutung von 英 ist „mutig“, „England“ 英国 ist also das „mutige Land“!

美国 USA (mei³ guo²)

schön + Land = USA

Das Zeichen 美 (mei³) wird hier verwendet, weil es ähnlich ausgesprochen wird wie die zweite Silbe von „Amerika“, und es trägt auch eine hübsche Bedeutung, nämlich „schön“.

日本 Japan (ri⁴ ben³)

Sonne + Ursprung = Japan

Japan, das „Land der aufgehenden Sonne", liegt östlich von China; wenn also die Sonne aufgeht, kommt sie aus Japan. „Sonne" 日 und „Ursprung" 本 (ben³) zusammen bedeuten daher „Japan". Die alten Chinesen bezeichneten die Japaner oft als Menschen des östlichen Ozeans" bzw. „Ausländer aus dem Osten" 東洋人 (dong¹ yang² ren²) und die Europäer als „Menschen des westlichen Ozeans" bzw. Ausländer aus dem Westen" 西洋人 (xi¹ yang² ren²).

大西洋 Atlantischer Ozean (da⁴ xi¹ yang²; groß + Westen + Ozean)

太平洋 Pazifischer Ozean (tai⁴ ping² yang²; äußerst + eben + Ozean)

北海 Nordsee (bei³ hai³; Norden + Meer)

南海 Südchinesisches Meer (nan² hai³; Süden + Meer)

東海 Ostchinesisches Meer (dong¹ hai³; Osten + Meer)

北美 Nordamerika (bei³ mei³; Norden + schön)

南美 Südamerika (nan² mei³; Süden + schön)

方 Richtung (fang[1])

Dieses Zeichen zeigte ursprünglich den Griff eines Schwertes. Inzwischen hat sich die Bedeutung auf „Richtung", „Quadrat" und „Region" erweitert.

東方 der Osten (dong[1] fang[1]; Osten + Richtung)

西方 der Westen (xi[1] fang[1]; Westen + Richtung)

南方 der Süden (nan[2] fang[1]; Süden + Richtung)

北方 der Norden (bei[3] fang[1] Norden + Richtung)

Diese Wendungen werden auch speziell im Sinne von „in östlicher Richtung", „in südlicher Richtung" etc. verwendet.

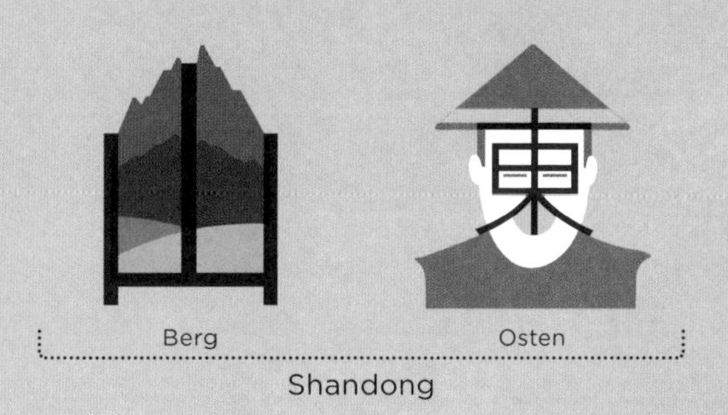

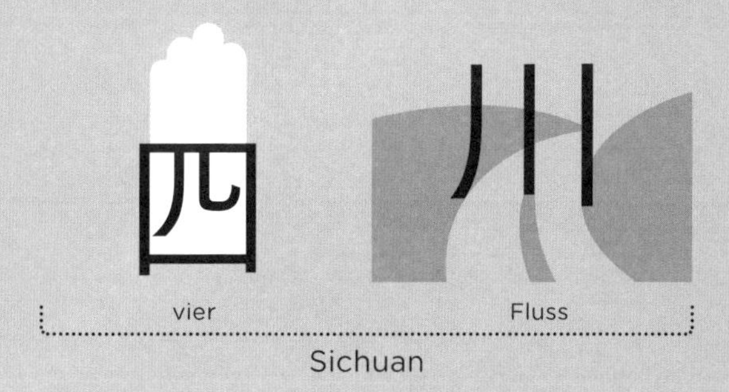

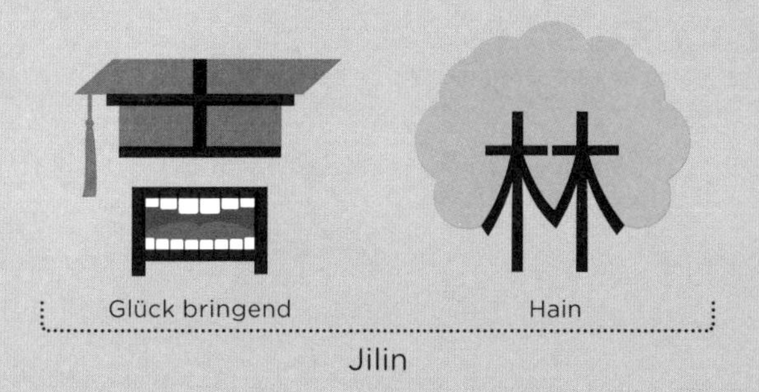

山東 Shandong (shan[1] dong[1])

Berg + Osten = Shandong

Die Provinz Shandong verdankt ihren Namen ihrer Lage östlich des Taihang-Gebirges (太行山; tai[4] hang[2] shan[1]). Sie hat 97 Millionen Einwohner.

四川 Sichuan (si[4] chuan[1])

vier + Fluss = Sichuan

Es gibt verschiedene Theorien über die Entstehung des Namens 四川: Er könnte sich auf „vier" 四 große „Flüsse" 川 beziehen, könnte aber auch die Gegend bezeichnen, an dem sich „vier Ebenen" treffen (neben „Fluss" bedeutet 川 auch „Ebene"). Die Einwohnerzahl der Provinz beträgt 82 Millionen.

吉林 Jilin (ji[2] lin[2])

Glück bringend + Hain = Jilin

Der Name „Jilin" stammt aus dem Mandschurischen, eine der offiziellen Sprachen in der Qing-Dynastie (1644–1912). „Jilin" bedeutet auf Mandschurisch „Stadt am Fluss"; 吉林 kann sich jedoch entweder auf die Stadt oder aber auf die gleichnamige Provinz beziehen. Wer sich eindeutig ausdrücken will, kann noch „Provinz" 省 (sheng[3]) anhängen. In der Provinz Jilin leben 27,5 Millionen Menschen.

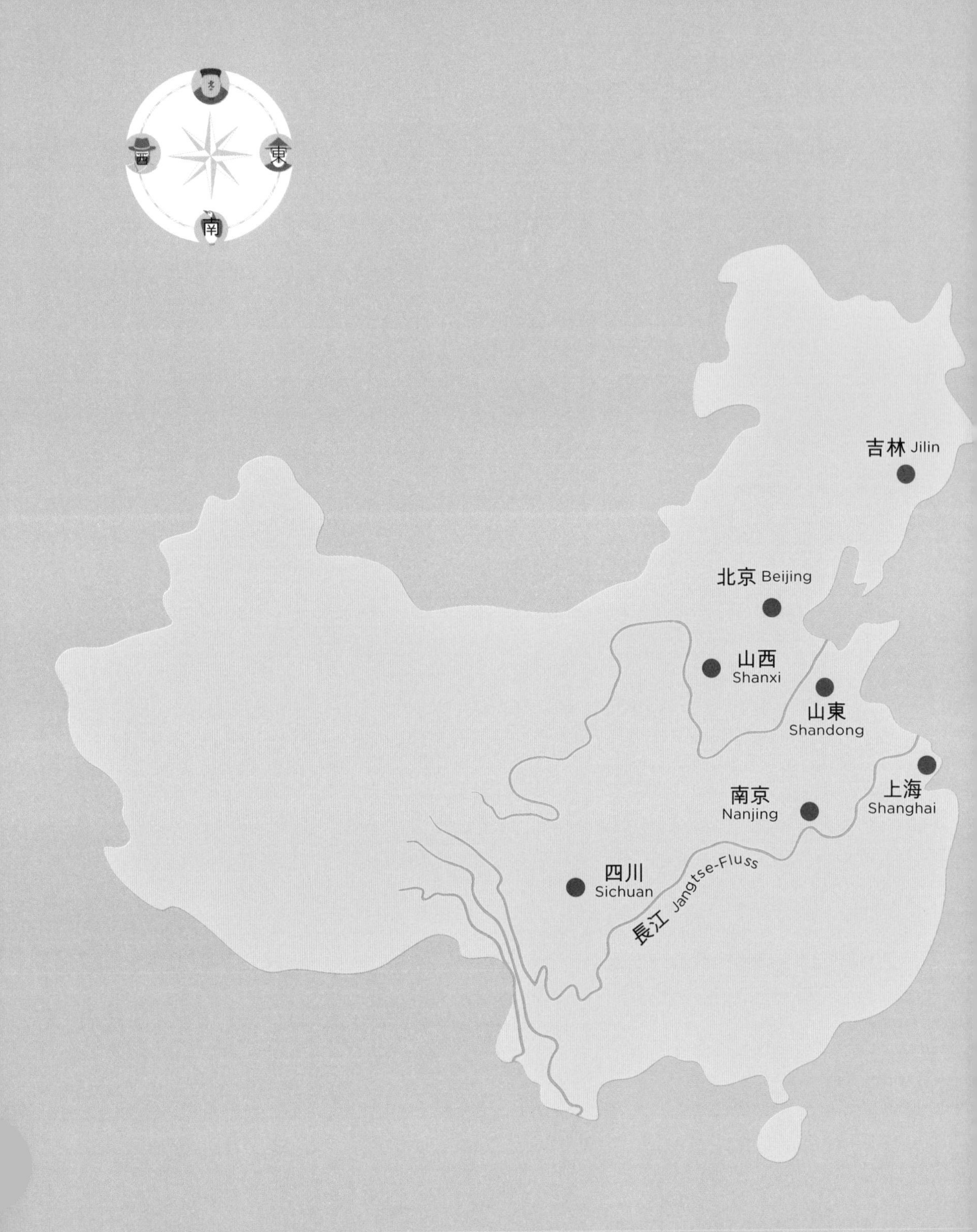

西
東
南
吉林 Jilin
北京 Beijing
山西
Shanxi
山東
Shandong
上海
Shanghai
南京
Nanjing
四川
Sichuan
長江 Jangtse-Fluss

北京 Beijing (bei^3 jing^1)

Norden + Hauptstadt = Beijing

Beijing ist die Hauptstadt von China und hatte in der Geschichte des Landes stets eine große politische und kulturelle Bedeutung. Die Stadt war im Lauf der Zeit auch unter zahlreichen anderen Namen bekannt, etwa Youzhou, Zhongdu, Dadu, Shuntian, Peiping und Yangjing.

„Beijing“ bedeutet „nördliche Hauptstadt“. Dieser Name wurde erstmals in der Ming-Dynastie (1368–1644) benutzt, verbreitete sich aber erst 1949 mit Gründung der Volksrepublik China. Unabhängig davon, ob man die Stadt im Deutschen „Beijing“ ausspricht oder die veraltete Aussprache „Peking“ wählt, die chinesische Schreibweise bleibt immer 北京.

南京 Nanjing (nan^2 jing^1)

Süden + Hauptstadt = Nanjing

Nanjing diente mehreren chinesischen Dynastien als Hauptstadt. Damals galt es als historischer und zentraler als Beijing. Wie Beijing war auch Nanjing im Laufe der Geschichte unter verschiedenen Namen bekannt, aber der bekannteste ist immer noch 南京 – die „südliche Hauptstadt“.

Und wo ist die „östliche Hauptstadt“ 東京 (dong^1 jing^1)? Das ist Tokyo. Sie wurde allerdings von den Japanern so genannt und nicht von den Chinesen, der Name hat also nichts mit chinesischem Kolonialismus zu tun!

上海 Shanghai (shang^4 hai^3)

über + Meer = Shanghai

Shanghai, was so viel bedeutet wie „über dem Meer“, ist die größte und geschäftigste Stadt in China. Aus dem ursprünglichen kleinen Bauerndorf wurde allerdings erst in der späten Qing-Dynastie (1644–1912) eine blühende Großstadt. Seit dieser Zeit ist aus Shanghai mit 24 Millionen Einwohnern die am dichtesten bevölkerte Stadt der Welt geworden – dort leben mehr Menschen als in ganz Taiwan!

長江 Jangtse (chang^2 jiang^1)

lang + Fluss = Jangtse

Die Zusammensetzung 江 (jiang^3) ist ein weiterer häufiger Ausdruck für „Fluss“. Mit 6300 Kilometern Länge ist der Jangtse der längste Fluss in China; dieser Tatsache verdankt er seinen Namen „langer Fluss“ 長江.

吉林省 = Provinz Jilin (ji^2 lin^2 sheng^3)

山西省 = Provinz Shanxi (shan^1 xi^1 sheng^3)

山|省 = Provinz Shandong (shan^1 dong^1 sheng^3)

四川省 = Provinz Sichuan (si^4 chuan^1 sheng^3)

台北 Taipeh

台中 Taichung

台西 Taixi

台南 Tainan

台東 Taitung

台北 Taipeh (tai² bei³)

Taiwan + Norden = Taipeh

Das Zeichen 台 (tai²) setzt sich zusammen aus „privat" 厶 (si¹) und „Mund" 口 und bedeutet „Plattform". Außerdem wird es häufig als Abkürzung für „Taiwan" 台灣 (tai² wan¹) verwendet.

„Taipeh" bedeutet „Taiwan Norden" – der Norden von Taiwan. Als taiwanesische Hauptstadt ist Taipeh (台北市; tai² bei³ shi⁴, wie der offizielle Name lautet) wahrscheinlich auch die Welthauptstadt des Essens. Im Juni 2015 berichtete CNN, dass Taipeh die internationale Topadresse für gutes Essen ist. Ich bin dort aufgewachsen und eine absolute Feinschmeckerin, also kann ich bestätigen, dass das auch stimmt!

Wenn Sie einmal in Taipeh sind, sollten Sie unbedingt den Nationalpark Yangmingshan (陽明山; yang² ming² shan¹) vor den Toren der Stadt besuchen, wo es eine fantastisch vielfältige Flora und Fauna zu bestaunen gibt. Yangmingshan ist außerdem für seine heißen Quellen berühmt.

台中 Taichung (tai² zhong¹)

Taiwan + Mitte = Taichung

Taichung liegt ziemlich in der Mitte von Taiwan. Es ist nach Taipeh und Kaohsiung (高雄; gao¹ xiong²) die drittgrößte Stadt auf der Insel. Ihr offizieller Name lautet 台中市 (tai² zhong¹ shi⁴).

台南 Tainan (tai² nan²)

Taiwan + Süden = Tainan

Wahrscheinlich haben Sie sich nun bereits gedacht, dass Tainan im Süden Taiwans liegt. Es ist die älteste Stadt auf der Insel und war bis 1894 die Hauptstadt. Tainan ist bekannt für sein kulturelles Erbe und gutes Essen.

台東 Taitung (tai² dong¹)

Taiwan + Osten = Taitung

Taitung liegt am südöstlichen Rand von Taiwan. Die Stadt ist berühmt für ihre atemberaubende Küste und die waldreiche Landschaft, die Naturliebhaber aus der ganzen Welt anlockt.

台西 Taixi (tai² xi¹)

Taiwan + Westen = Taixi

Taixi ist eine kleine Stadt an der Westküste Taiwans. Sie ist bekannt für ihre Austernzucht.

Zum Weiterlesen

Die U-Bahn-Karte von Taipei

Wenn man in eine große Stadt kommt, welche Karte versucht man dann normalerweise als Erstes zu ergattern? Für mich wäre das eine Karte des U-Bahn-Netzes. Meine Heimatstadt Taipei – die Hauptstadt von Taiwan – hat ein ausgezeichnetes U-Bahn-Netz, das unter dem Namen Taipei MRT (Metropolitan Rapid Transport) bekannt ist. Die Taipei MRT ist modern, sauber, effizient und preiswert.

Auf der MRT-Karte ist jede Station sowohl auf Chinesisch als auch auf Englisch aufgeführt. Aber ich kann mir vorstellen, dass es Spaß machen würde, das anzuwenden, was Sie bisher gelernt haben, und die Stationsnamen direkt auf Chinesisch zu lesen!

Unten finden Sie einige Stationsnamen mit Zeichen, die Sie in diesem Buch bereits gelernt haben; die entsprechenden Seitenverweise folgen auf die Aussprache. Enthält ein Stationsname ein Zeichen, das in diesem Buch nicht vorkommt, ist es mit einem Sternchen markiert.

東門 Dongmen (dong^{1} men^{2})
— siehe Seite 170, 144

士林 Shilin (shi^{4} lin^{2})
— siehe Seite 79, 49

淡*水 Tamsui (dan^{4} shui^{3})
— siehe Seite 46

小南門 Xiaonanmen (xiao^{3} nan^{2} men^{2})
— siehe Seite 120, 170, 144

西門 Ximen (xi^{1} men^{2})
— siehe Seite 170, 144

北門 Beimen (bei^{3} men^{2})
— siehe Seite 170, 144

中山 Zhongshan (zhong^{1} shan^{1})
— siehe Seite 128, 88

松*山 Songshan (song^{1} shan^{1})
— siehe Seite 88

海山 Haishan (hai^{3} shan^{1})
— siehe Seite 173, 88

大安* Daan (da^{4} an^{1})
— siehe Seite 63

象山 Xiangshan (xiang^{4} shan^{1})
— siehe Seite 113, 88

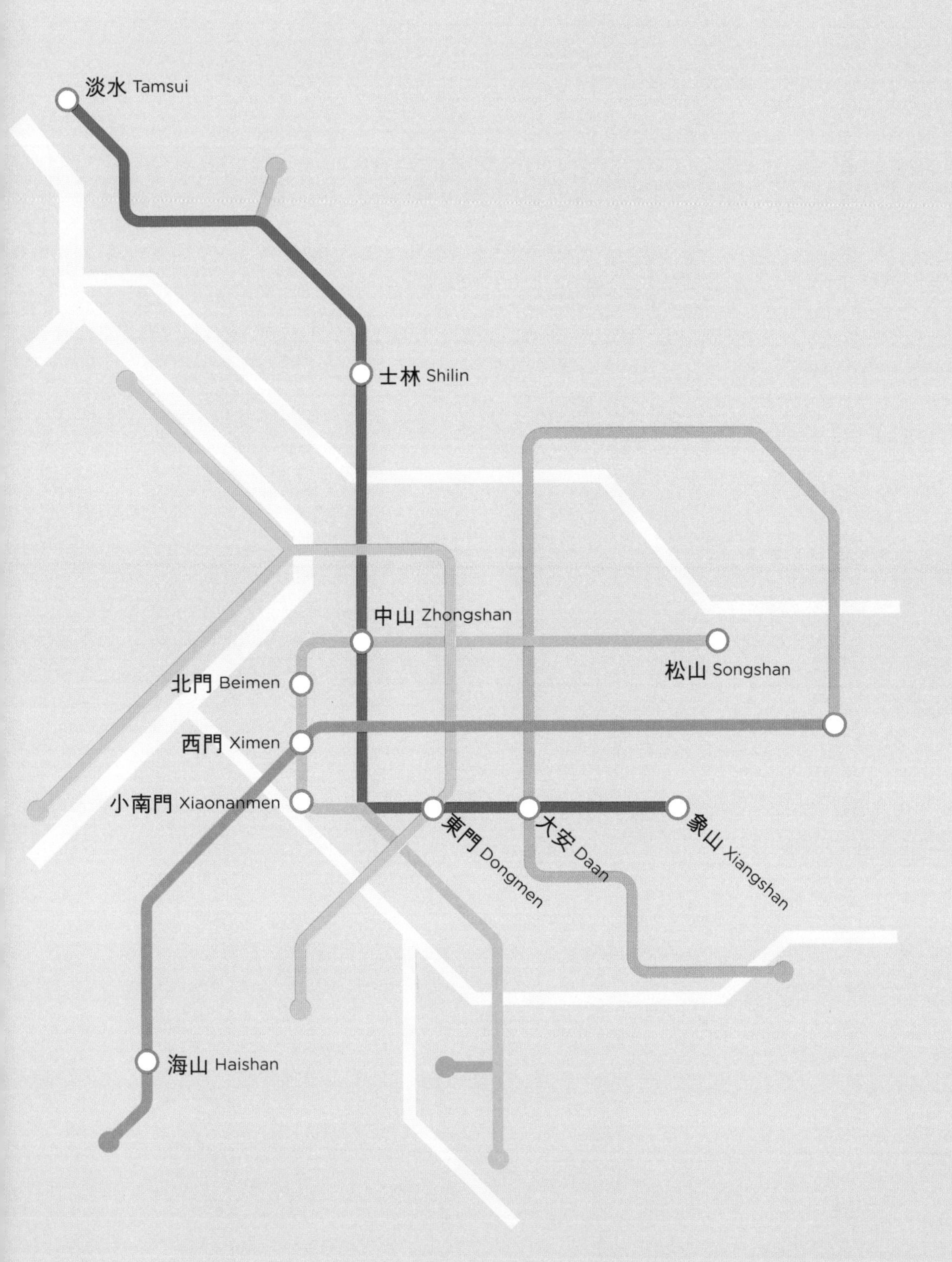
淡水 Tamsui
士林 Shilin
中山 Zhongshan
松山 Songshan
北門 Beimen
西門 Ximen
小南門 Xiaonanmen
東門 Dongmen
大安 Daan
象山 Xiangshan
海山 Haishan

言
友

KAPITEL 10

MODERNES LEBEN

网 Netz (wang³)

Dies ist die vereinfachte Form des Zeichens für „Netz"; die traditionelle Form ist 網, eine Kombination aus „Seide" 糸 (mi⁴) und „täuschen" 罔 (wang³). Die vereinfachte Form ist eigentlich näher am ursprünglichen Piktogramm als die traditionelle, deshalb bleiben wir hier dabei. 网 kann sich auf ein echtes Netz beziehen oder, wie auch im Deutschen, eine Abkürzung für das Internet sein.

In der Form 罒 wird das Zeichen als Bestandteil bestimmter Zusammensetzungen verwendet.

上网 im Internet surfen (shang⁴ wang³)

aufsteigen + Netz = im Internet surfen

下网 (xia⁴ wang³)

aussteigen + Netz

Je nach Kontext bedeutet diese Wendung entweder „aus dem Netz [Internet] ausloggen" oder „das [physische] Netz niederlegen".

友 Freund (you³)

In Orakelknochen-Inschriften zeigte dieses Zeichen zwei rechte Hände nah beieinander, als wenn sich zwei Menschen die Hand schütteln und Freunde werden.

Zwei „Monde" zusammen, 朋 (peng²), bedeuten ebenfalls „Freund" oder „Gefährte". 朋 stellt zwei Menschen nebeneinander dar, die sich gegenseitig Gesellschaft leisten. 友 soll zwei ineinander verschränkte Hände zeigen, die sich gegenseitig unterstützen und helfen.

Im modernen Chinesisch haben 朋 und 友 dieselbe Bedeutung. 友 ist jedoch wesentlich häufiger; 朋 wird selten außerhalb fester Wendungen und Idiome verwendet. Wenn man 朋 und 友 kombiniert, bedeutet die Wendung ebenfalls „Freund": 朋友 (peng² you³).

好朋友 (hao³ peng² you³) bedeutet „guter Freund". Manchmal kürzen wir dies ab zu 好友 (hao³ you³), wir sagen jedoch niemals 好朋.

豬朋狗友 (zhu¹ peng² gou³ you³; wörtlich „Schweinefreund-Hundefreund") ist ein häufiges Idiom, das Freunde mit einem schlechten Einfluss beschreibt.

网友 Online-Freund (wang³ you³)

Netz + Freund = Online-Freund

Diese Wendung steht fest, sagen Sie also nicht 网朋友 oder 网朋, wenn Sie nicht möchten, dass Ihr Umfeld die Augen verdreht.

男朋友 fester Freund (nan² peng² you³)

Mann + Freund = fester Freund

Die Wendung 男朋友 bezeichnet nicht einfach eine männliche befreundete Person, sondern einen festen Freund, mit dem man eine Beziehung führt. Sie wird häufig zu 男友 (nan² you³) abgekürzt.

女朋友 feste Freundin (nü³ peng² you³)

Frau + Freund = feste Freundin

Die Wendung 女朋友 bezeichnet nicht einfach eine weibliche befreundete Person, sondern eine feste Freundin, mit der man eine Beziehung führt. Häufig ist auch die Form 女友 (nü³ you³).

„Mit jemandem zusammenkommen" im Sinne von „eine Beziehung eingehen" drücken wir mit denselben Wendungen plus dem Verb „austauschen"/„abgeben" 交 (jiao¹) aus: 交女朋友 (jiao¹ nü³ peng² you³) heißt also „mit seiner Freundin zusammenkommen". 交 bedeutet demnach auch „finden" wie in „Freunde finden" 交朋友 (jiao¹ peng² you³).

小朋友 Kinder (xiao³ peng² you³)

klein + Freund = Kinder

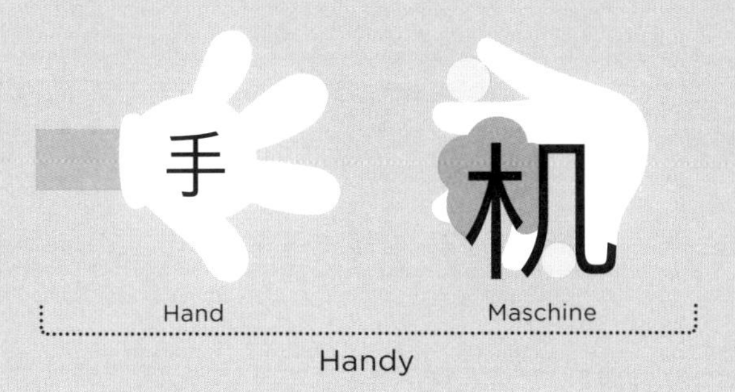

手机 Handy

(shou³ ji¹)

Hand + Maschine = Handy

Diese Wendung ist ebenso cool wie intuitiv verständlich! Was halten wir in diesen modernen Zeiten am häufigsten in der Hand? Hinweis: Es ist weder ein Baguette noch eine Rose. Sondern das Handy!

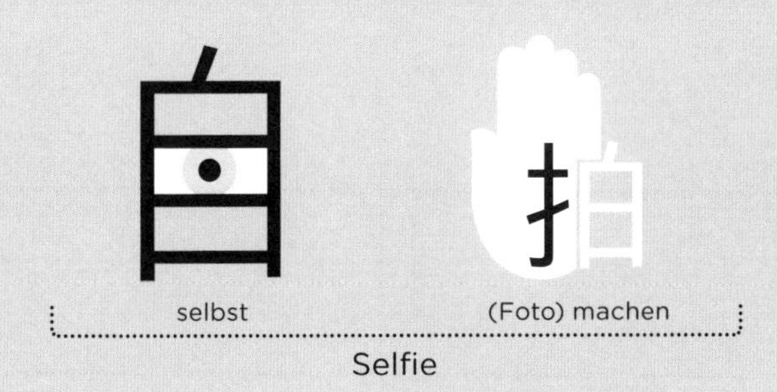

自拍 Selfie

(zi⁴ pai¹)

1839 schoss der Amerikaner Robert Cornelius das wahrscheinlich erste fotografische Selbstporträt – den ersten Selfie! 自 bedeutet „selbst" (siehe S. 141) und 拍 (pai¹) heißt „(ein Foto) machen". In den letzten Jahren ist 自拍 zum allgegenwärtigen Sport für jedermann geworden, den Milliarden Menschen täglich betreiben. Je nach Kontext kann 自拍 als Substantiv oder als Verb verwendet werden.

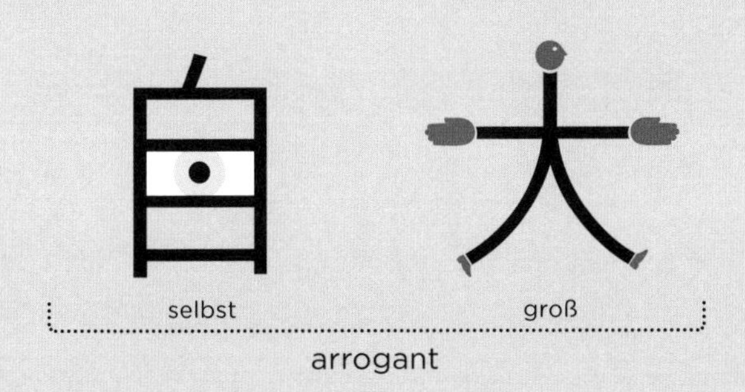

自大 arrogant

(zi⁴ da⁴)

selbst + groß = arrogant

Wenn jemand von sich selbst (自) sehr überzeugt ist und glaubt, er sei der Größte (大) auf der Welt, ist er „arrogant".

球 Kugel (qiu²)

Dieses Zeichen ist eine Kombination aus 王, der alternativen Form für „Jade" 玉 (yu⁴), die die Bedeutung trägt, und „verlangen" 求 (qiu²), das die Aussprache angibt.

Ursprünglich bezeichnete das Zeichen einen runden Jadestein (王), nach dem es viele Menschen verlangte (求). Seither hat sich die Bedeutung ausgeweitet auf „Kugel". Als Adjektiv verwendet, bedeutet das Zeichen „rund" oder „kugelförmig".

Im Chinesischen „schlagen" 打 (da³) wir den Ball, wenn wir ein „Ballspiel spielen". Die wörtliche Bedeutung von 打 ist „schlagen", aber in diesem Zusammenhang heißt es „spielen", wie in „Golf spielen" oder „Tennis spielen".

Die Freunde, mit denen wir Ball spielen, sind unsere 球友 (qiu² you³; wörtlich „Ballfreunde"). Wenn allerdings Roger Federer und Novak Djokovic in Wimbledon gegeneinander antreten, sind sie nicht etwa „Tennisfreunde" 球友, sondern „Gegner" 對手/对手 (dui⁴ shou³). Das Zeichen für „Hand" 手 haben Sie in dieser Wendung sicher gleich entdeckt! 對/对 (dui⁴) bedeutet „gegenüberstehen", „auf etwas gerichtet sein" oder „korrigieren", wenn es als Verb verwendet wird; als Substantiv heißt es „Paar".

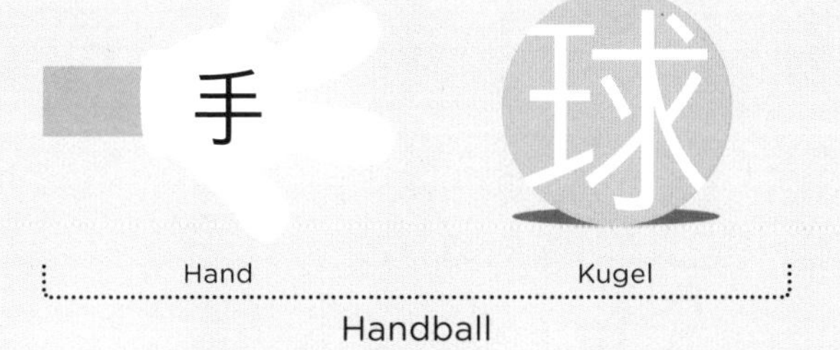

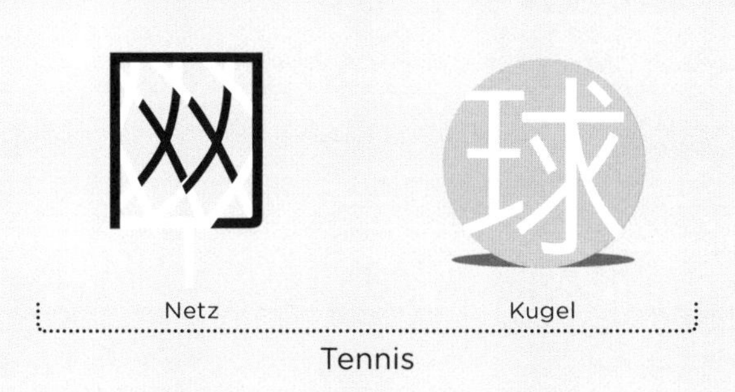

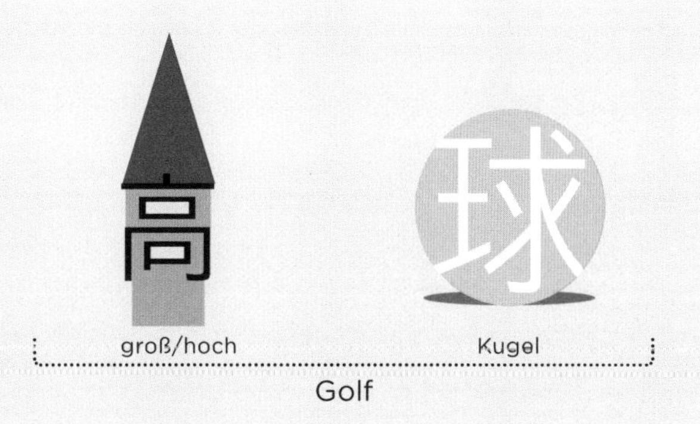

手球 Handball
(shou³ qiu²)

Hand + Kugel = Handball

足球 Fußball
(zu² qiu²)

Fuß + Kugel = Fußball

网球 Tennis
(wang³ qiu²)

Netz + Kugel = Tennis

高球 Golf
(gao¹ qiu²)

groß/hoch + Kugel = golf

高球 ist die Abkürzung für „Golf"; der vollständige Ausdruck lautet **高爾夫球/高尔夫球** (gao¹ er³ fu¹ qiu²) und ahmt zum Teil die Aussprache des englischen Wortes „golf" nach. Die Wendung **高球** ist viel einfacher zu merken und wird häufig verwendet. Wörtlich bedeutet sie „hoher Ball".

球 kann zur Beschreibung aller kugelartigen Dinge verwendet werden. So ist zum Beispiel **火球** (huo³ qiu²) ein „Feuerball" und **水球** (shui³ qiu²), das sich wörtlich mit „Wasserball" übersetzen lässt, bedeutet „Wasserpolo". Der Planet Erde ist ein „Erdball" **地球** (di⁴ qiu²).

刀 Messer (dao¹)

刀 ist ein primitives Piktogramm. Es kann auch „Schwert" bedeuten. Der „Mund" 口 eines „Messers" 刀 ist die „Klinge" oder „Messerschneide": 刀口 (dao¹ kou³).

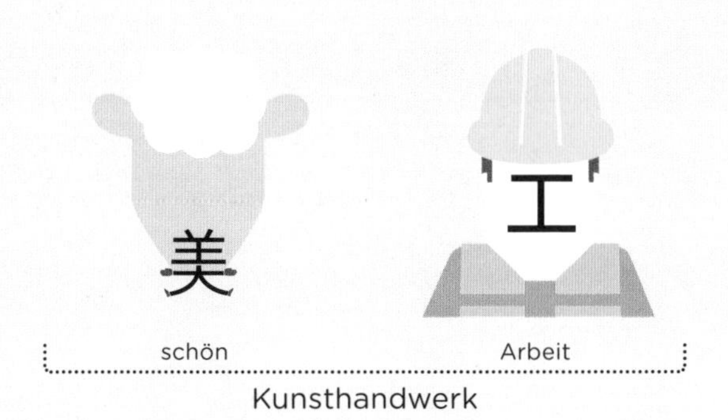

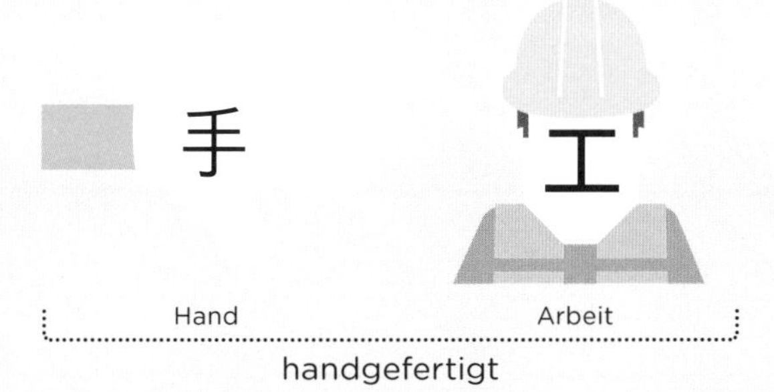

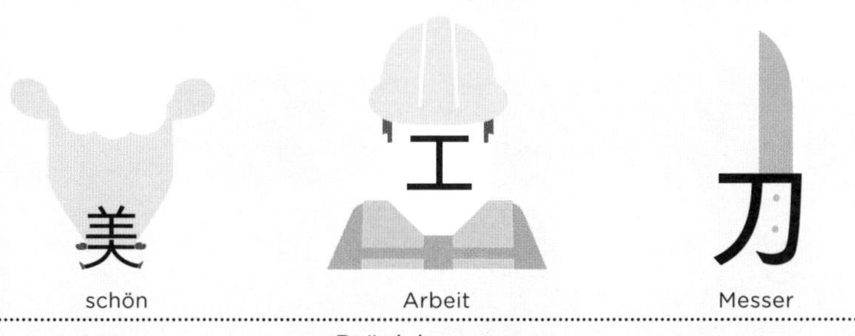

美工 Kunsthandwerk (mei³ gong¹)

schön + Arbeit = Kunsthandwerk

Das Zeichen 工 wird hier als Substantiv verwendet, um ein „Stück Arbeit" zu bezeichnen. Wenn ein Arbeitsstück schön gemacht ist, dann wurde es kunstvoll angefertigt.

手工 handgefertigt (shou³ gong¹)

Hand + Arbeit = handgefertigt

Ein Arbeitsstück, das von Hand hergestellt wurde, ist „handgefertigt".

美工刀 Präzisionsmesser (mei³ gong¹ dao¹)

schön + Arbeit + Messer = Präzisionsmesser

美工 bedeutet „Kunsthandwerk" und 刀 heißt „Messer". Ein 美工刀 ist ein „Messer für das Kunsthandwerk", also ein „Präzisionsmesser". Dieselbe Wendung kann auch ein „Teppichmesser" oder „Cuttermesser" bezeichnen.

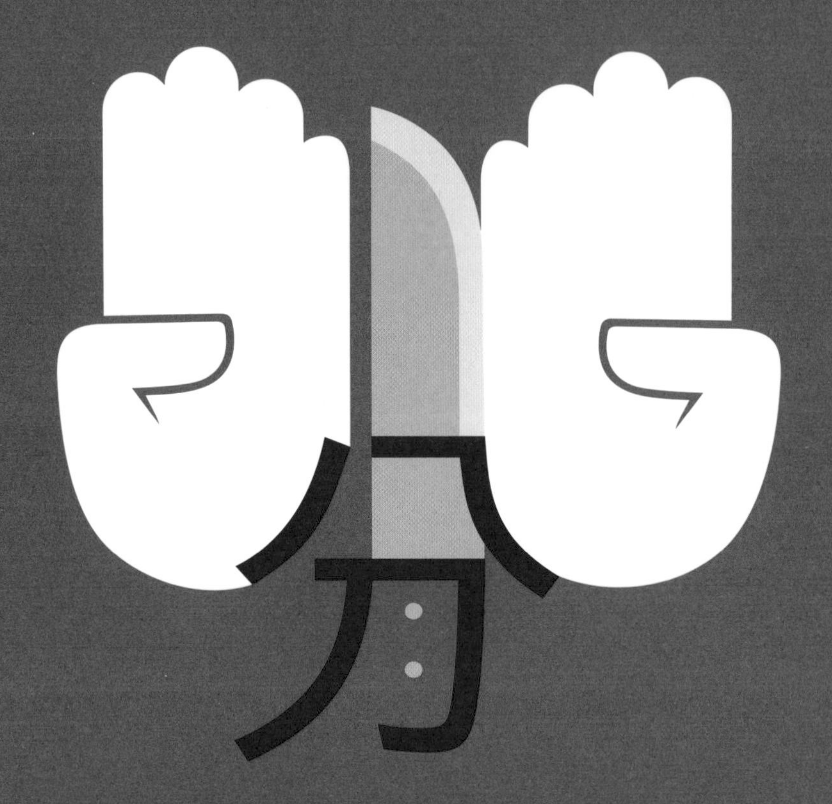

分 teilen (fen¹)

Dieses Zeichen setzt sich zusammen aus „acht“ 八 und „Messer“ 刀. 八 zeigte ursprünglich einen zerbrochenen langen Stab und bedeutete „teilen“. Später wurde 刀 unter 八 gesetzt und es entstand daraus das Zeichen 分, das „trennen“, „zuweisen“ oder „verteilen“ heißt. Als Substantiv bedeutet 分 „Anteil“, „Minute“ oder „Punkt“ (bei Prüfungen o. Ä.).

分手 sich trennen (fen¹ shou³)

teilen + Hand = Schluss machen/sich trennen

Wenn zwei Menschen beschließen sich zu trennen, halten sie nicht mehr Händchen (手).

分心 abgelenkt sein (fen¹ xin¹)

teilen + Herz = abgelenkt sein

Wenn man sein „Herz“ 心 „teilt“ 分, ist man abgelenkt

分开/分開 sich trennen/getrennt sein (fen¹ kai¹)

teilen + öffnen = sich trennen/getrennt sein

Das Zeichen 开 („öffnen“) trägt hier nicht seine ursprüngliche Bedeutung, sondern fungiert eher als Suffix. 分开 beschreibt, wie zwei Dinge sich voneinander wegbewegen, und es wird häufiger verwendet als 分手 (allerdings werden beide Wendungen benutzt, wenn es um persönliche Beziehungen geht).

力 Kraft/Stärke (li^4)

Dieses Zeichen bedeutete ursprünglich „Pflug". Pflüge mussten von kräftigen Tieren gezogen werden, und so wurde die Bedeutung von 力 auf „Kraft" erweitert.

功 Erfolg (gong^1)

Diese Kombination aus „Arbeit" 工 und „Kraft" 力 bedeutet „Erfolg" oder „Verdienst", wenn sie als Substantiv verwendet wird.

功力 Können (gong^1 li^4)

Erfolg + Stärke = Können

Erfolg und Stärke spiegeln häufig Können wider.

功夫 Kung-Fu (gong^1 fu^1)

Leistung + Mann = Kung-Fu

Ich merke mir diese Wendung so: In alten Zeiten hing der „Erfolg" 功 eines „Mannes" 夫 von seinem Geschick in der Kampfkunst „Kung-Fu" 功夫 ab. Als Adjektiv bedeutet die Wendung „gewandt".

工夫 Mühe (gong^1 fu^1)

Arbeit + Mensch = Mühe

Diese Wendung bezieht sich auf die Zeit und Mühe, die man für etwas aufbringt. Obwohl die Aussprache identisch ist, hat 工夫 eine andere Bedeutung als 功夫.

言 sagen/sprechen (yan²)

Auch wenn dieses Zeichen wie eine Zusammensetzung aussieht, ist es tatsächlich ein Baustein. In alten chinesischen Schriften ähnelte es stark dem Zeichen für „Zunge“ 舌 (siehe S. 145).

Die Zusammensetzung 語 (yu³) bedeutet „Sprache“. Dieses Zeichen ist eine Kombination aus „sagen“ 言, „fünf“ 五 und „Mund“ 口. Wenn wir „fünf“ oben auf „Mund“ setzen, erhalten wir „ich/mein“ 吾 (wu²). Die vereinfachte Form von 語 ist 语. Hier wurde 言 zu 讠 vereinfacht. Wenn es jedoch allein steht, bleibt 言 in der traditionellen und in der vereinfachten Form gleich.

話 reden (hua⁴)

Dieses Zeichen setzt sich aus „sagen“ 言 und „Zunge“ 舌 zusammen. Es bedeutet „reden“ oder „Rede“, wenn es als Substantiv verwendet wird. Die vereinfachte Form lautet 话. Auch hier wird wieder die vereinfachte Form von 言 in Zusammensetzungen (讠) benutzt. Im modernen Chinesisch wird das Verb „reden“ jedoch häufiger in der Wendung 說話 (shuo¹ hua⁴; vereinfachte Form: 说话) ausgedrückt.

電話 Telefon (dian⁴ hua⁴)

Elektrizität + reden = Telefon

Welches elektrische Gerät übermittelt Gesprochenes? Das Telefon! Die vereinfachte Form sieht so aus: 电话.

示 enthüllen (shi⁴)

Dieser Baustein ist recht einfach zu lesen; passen Sie jedoch auf, dass Sie ihn nicht mit Bausteinen wie „klein" 小 (siehe S. 120) und „Himmel" 天 (siehe S. 55) verwechseln. Das Zeichen zeigte ursprünglich einen Steintisch, auf dem den Göttern Opfer dargebracht wurden. Wer etwas opfert, dem enthüllen sich vielleicht die Götter!

In der Form 礻 taucht das Zeichen als Bestandteil einiger Zusammensetzungen auf. Es wird häufig in Wendungen benutzt, die etwas mit Religion oder dem Göttlichen zu tun haben.

視 beobachten (shi⁴)

Dieses Zeichen ist eine Kombination aus 礻, der Form von „enthüllen" in Zusammensetzungen, die die Aussprache angibt, und „sehen" 見 (jian⁴), das die Bedeutung trägt. Es bedeutet „beobachten" oder „betrachten". Die vereinfachte Form lautet 视.

電視 Fernseher (dian⁴ shi⁴)

Elektrizität + beobachten = Fernseher

Welches elektrische Gerät haben wir vor dem Siegeszug des Computers immer so lange angesehen? Den Fernseher! Die vereinfachte Form sieht so aus: 电视.

Zum Weiterlesen

Chinesische Grammatik für Anfänger

Chinesische Verben stehen nicht in unterschiedlichen Zeiten. Im Deutschen müssen wir zwischen den Zeiten unterscheiden, zum Beispiel: Ich fahre mit dem Auto (Präsens); ich bin mit dem Auto gefahren (Perfekt); ich fuhr mit dem Auto (Präteritum); ich war mit dem Auto gefahren (Plusquamperfekt); ich werde mit dem Auto fahren (Futur). Im Chinesischen brauchen wir nur zu sagen: **我開車/我开车** (wo3 kai1 che1). Damit klar ist, wann ich mit dem Auto fahre, fügen wir am Satzbeginn eine Zeitangabe hinzu – heute/morgen/gestern/vor einer Stunde/jetzt usw.

Zweitens gibt es keine klaren Regeln zum Geschlecht. Im gesprochenen Chinesisch werden „er", „sie" und „es" immer „ta" ausgesprochen. Im geschriebenen Chinesisch wird ein Unterschied zwischen den Geschlechtern gemacht: „er" **他** (mit „Mensch"-Baustein), „sie" **她** (mit „Frau"-Baustein) und „es" **它** (mit „Dach"-Baustein). Viele Leute benutzen jedoch grundsätzlich nur „er" **他**.

Die Satzstruktur im Chinesischen ist ebenfalls ganz einfach. In der folgenden Tabelle habe ich drei Grundtypen von Sätzen zu Kategorien zusammengefasst.

SATZART	CHINESISCH	DEUTSCH
Typ 1: Einfache Struktur SPO (Subjekt + Prädikat + Objekt)	**我 想 你。** (wo3 xiang3 ni3) [wörtlich] Ich vermisse dich.	„Ich vermisse dich."
Typ 2: mit Zeitangabe	Im Chinesischen kommt die Zeitangabe entweder am Satzanfang oder direkt nach dem Subjekt.	Im Deutschen kann die Zeitangabe am Satzanfang oder nach dem Prädikat stehen.
ZSPO (Zeitangabe + Subjekt + Prädikat + Objekt) oder SZPO (Subjekt + Zeitangabe + Prädikat + Objekt)	ZSPO: **明天 我 开 飞机。** (ming2 tian1 wo3 kai1 fei1 ji1) [wörtlich] Morgen ich fliege Flugzeug. SZPO: **我 明天 开 飞机。** (wo3 ming2 tian1 kai1 fei1 ji1) [wörtlich] Ich morgen fliege Flugzeug.	Im Deutschen kann die Zeitangabe am Satzanfang oder nach dem Prädikat stehen. „Morgen fliege ich ein Flugzeug." **oder** „Ich fliege morgen ein Flugzeug."
Typ 3: mit Ortsangabe	Im Chinesischen kommt die Zeitangabe immer vor der Ortsangabe.	Im Deutschen steht die Zeitangabe meist ebenfalls vor der Ortsangabe, jedoch nicht immer.
SZPOr (Subjekt + Zeitangabe + Prädikat + Ortsangabe)	**他 明天 去 中国。** (ta1 ming2 tian1 qu4 zhong1 guo2) [wörtlich] Er morgen geht China.	„Er fährt morgen nach China."
SZOrPO (Subjekt + Zeitangabe + Ortsangabe + Prädikat + Objekt)	**小女 天天 在家 上 网。** (xiao3 nü3 tian1 tian1 zai4 jia1 shang4 wang3) [wörtlich] Kleines Mädchen jeden Tag zu Hause surft im Internet.	„Meine Tochter surft jeden Tag zu Hause im Internet." **oder** „Meine Tochter surft zu Hause jeden Tag im Internet."

Anmerkung: Zur besseren Verständlichkeit wurden hier zwischen den verschiedenen grammatikalischen Elementen in den chinesischen Sätzen Leerzeichen eingefügt.

Moderne chinesische Wörter

Wie auch das Deutsche hat sich das Chinesische an das moderne Leben angepasst, indem es Lehnwörter übernahm (zum Beispiel „Golf“ 高球), Verkürzungen vornahm und Fachvokabular in den Wortschatz aufnahm, vor allem Wendungen, die mit dem weit verbreiteten Gebrauch von Technologie zu tun haben. In diesem Kapitel haben wir beispielsweise die Begriffe „Online-Freund“ 网友 und „Selfie“ 自拍 kennengelernt. Hier folgen noch einige andere beliebte Wendungen:

DEUTSCH	CHINESISCH	WÖRTLICHE ÜBERSETZUNG
Computer	電腦 (dian4 nao3)	elektrisches Gehirn
Film	電影 (dian4 ying3)	elektrischer Schatten
Bluetooth	藍牙 (lan2 ya2)	blauer Zahn
drahtlos	無線 (wu2 xian4)	kein Draht/Faden
männlicher Geek/Nerd	宅男* (zhai2 nan2)	Haus-Mann
weiblicher Geek/Nerd	宅女* (zhai2 nü3)	Haus-Frau

*Im Chinesischen werden mit den Wendungen 宅男 und 宅女 Menschen beschrieben, die viel Zeit vor dem Computer verbringen. Sie unterhalten sich nur mit Spielen, Fernsehen und Filmen. Sie gehen nicht viel aus und interagieren selten mit Menschen in der echten Welt; manchen fehlen daher gewisse soziale Fertigkeiten.

吃

KAPITEL 11

ESSEN & TRINKEN

吃 essen (chi^1)

Dies ist wahrscheinlich das wichtigste Zeichen überhaupt in der chinesischen Geschichte. Wenn sich Menschen in China begrüßen, fragen sie häufig nicht „Wie geht es dir?", sondern „Hast du schon gegessen?".

Das Zeichen ist eine Kombination aus „Mund" 口 und „betteln" 乞. Wenn der Mund bettelt, möchte er essen. Bevor es seine aktuelle Bedeutung annahm, bedeutete 吃 eigentlich „stottern".

大吃 viel essen (da^4 chi^1)

groß + essen = viel essen

小吃 Straßenimbiss/Snack (xiao^3 chi^1)

klein + essen = Straßenimbiss/Snack

Ein kleiner Imbiss von einem Straßenstand gehört für die meisten Chinesen und auch für die meisten anderen Asiaten zum Alltag: Millionen von Menschen nehmen ihr Frühstück, Mittagessen und sogar Abendessen jeden Tag an einem Straßenimbiss ein.

吃東西 etwas essen (chi^1 dong^1 xi)

essen + Dinge = etwas essen

東西 bedeutet „Ding" oder „Sache" (siehe S. 170); „Sachen essen" steht für „etwas essen".

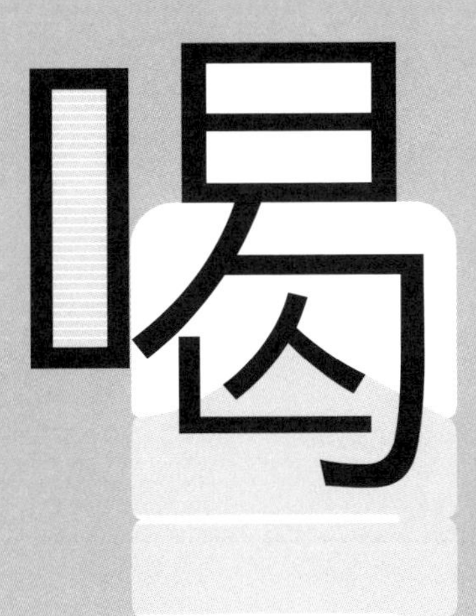

喝 trinken (he[1])

Dieses Zeichen ist eine Kombination aus „Mund“ 口, das die Bedeutung angibt, und „Schrei“ 曷 (he[2]), das die Aussprache festlegt. Eine Möglichkeit, sich das Zeichen zu merken, ist folgende Eselsbrücke: Wenn wir laut schreien, werden wir sehr durstig und müssen etwas trinken.

喝水 Wasser trinken (he[1] shui[3])

trinken + Wasser

大吃大喝 fressen wie ein Schwein (da[4] chi[1] da[4] he[1])

groß + essen + groß + trinken = fressen wie ein Schwein

Dieses häufige Idiom – wörtlich „groß essen, groß trinken“ – ist ein pejorativer Ausdruck für „schlemmen“. Andererseits, was ist eigentlich so schlimm an einem Schwein? Ich bin selbst eins!

茶 Tee (cha²)

Ich stelle mir dieses Zeichen immer als einen Menschen (人) vor, der durch einen Garten von Teebäumen (木) wandert und die Spitzen der Teeblätter pflückt (艹; siehe unten).

艹 Gras (cao³)

艹 gibt es nicht als eigenständiges Zeichen, es taucht nur in Zusammensetzungen auf. Manchmal wird 艹 auch 艸 geschrieben, wie zwei Kakteen nebeneinander. 艸 ist der häufigste Baustein im *Kangxi-Wörterbuch*, dem Standardwörterbuch des Chinesischen im 18. und 19. Jahrhundert.

草 Gras (cao³)

Das Einzelzeichen für „Gras" ist eine Kombination aus „Gras" 艹, das die Bedeutung angibt, und „früher Morgen" 早 (zao³), das die Aussprache festlegt.

苗 Knospe (miao²)

Die Spitzen von „Gras" 艹, die in einem „Feld" 田 (tian²) sprießen, sind „Knospen" 苗.

苦 bitter (ku³)

Dieses Zeichen setzt sich aus „Gras" 艹 und „alt" 古 (gu³) zusammen. Altes Gras schmeckt sicher ziemlich bitter.

酒 Wein (jiu³)

Dieses Zeichen setzt sich aus „drei Tropfen Wasser" 氵 (die Form von „Wasser" in Zusammensetzungen, siehe S. 46) und „Weingefäß" 酉 (siehe unten) zusammen. 酒 ist auch ein allgemeines Substantiv für ein alkoholisches Getränk und kann neben „Wein" auch „Spirituosen" oder „Schnaps" bedeuten.

Setzt man „weiß" 白 und „Wein" 酒 zusammen, erhält man „klaren Schnaps" oder „Baijiu-Schnaps" 白酒 (bai² jiu³), ein sehr starkes alkoholisches Getränk aus destillierter Sorgumhirse. Dieselbe Wendung kann allerdings auch „Weißwein" bedeuten. Baijiu-Schnaps war einmal sehr beliebt in China, aber heutzutage trinken immer mehr Menschen „Rotwein" 紅酒 (hong² jiu³). China ist der größte Absatzmarkt für Rotwein weltweit; 2013 wurden 1,86 Milliarden Flaschen verkauft!

In einem chinesischen Restaurant fragt der Kellner Sie vielleicht, ob Sie ein 酒水 (jiu³ shui³) wünschen. 酒水 bezeichnet Getränke im Allgemeinen, sowohl alkoholische als auch alkoholfreie.

酉 Weingefäß (you³)

Dieses Zeichen sah ursprünglich aus wie ein Krug und bedeutete „Wein". Die geschwungenen Striche sehen immer noch aus wie ein Flaschenhals. Heute wird es vor allem in der Bedeutung „Weingefäß" verwendet.

米 Reis (mi^3)

In Orakelknochen-Inschriften zeigte dieses Zeichen rohe Reiskörner auf einem Holzregal. In Siegelschrift-Inschriften wurde aus dem Regal ein Kreuz (十) und der Reis wurde durch vier Punkte angedeutet.

米 bezieht sich in der Regel auf geschälten, ungekochten Reis. Das Zeichen 飯 (fan^4; vereinfachte Form: 饭) bedeutet „gekochter Reis“. Für die meisten Chinesen macht eine Schüssel Reis aus jedem Gericht eine herzhafte Mahlzeit. Kein Wunder, dass China mehr Reis produziert und konsumiert als jedes andere Land auf der Welt.

Wenn wir „ungekochten Reis“ 米 „trennen“ 分 oder mahlen, wird daraus ein „Pulver“ 粉 (fen^3).

大米 Reis (da^4 mi^3)

groß + Reis = Reis

Diese Wendung bezieht sich auf polierten, verkaufsfertigen Reis.

小米 Hirse (xiao^3 mi^3)

klein + Reis = Hirse

Normalerweise sind Hirsekörner kleiner als Reiskörner.

玉米 Mais (yu^4 mi^3)

Jade + Reis = Mais

Mais war früher selten in China und daher so wertvoll wie Jade.

面 Nudel (mian⁴)

Dies ist die vereinfachte Form von „Nudel"; die traditionelle Form ist 麵, eine Kombination aus „Weizen" 麥 (mai⁴), das die Bedeutung festlegt, und „Gesicht" 面 (mian⁴), das die Aussprache angibt. Die vereinfachte Form von Nudel, 面, wurde als Ersatz für die traditionelle Form 麵 gewählt, weil die Zeichen gleich ausgesprochen werden.

Wenn wir „Nudel" 面 und „Pulver" 粉 zusammensetzen, erhalten wir die Wendung für „Mehl": 面粉 (mian⁴ fen³). Dieser Ausdruck ist leicht zu merken, weil die meisten Nudeln aus Mehl hergestellt werden.

果 Frucht/Nuss (guo³)

Die ursprüngliche Form dieses Zeichens zeigte einen Baum, der Früchte trägt. Der „Baum" 木 ist in der heutigen Form immer noch zu erkennen, aber die Frucht ist nun ein „Feld" 田. Stellen Sie sich einfach vor, dass ein Baum auf einem Feld viele Früchte trägt: 果.

果 bedeutet auch „Ergebnis" oder „Resultat". Ebenso, wie wir im Deutschen sagen, dass etwas „gefruchtet" hat, bedeutet dieses Zeichen, dass etwas erreicht wurde.

汁 Saft/Sauce (zhi¹)

Dieses Zeichen besteht aus „drei Tropfen Wasser" 氵 und „zehn" 十; allerdings bezieht sich 十 hier auf eine Mischung aus vielen Zutaten.

水果 Obst (shui³ guo³)

Wasser + Obst = Obst

Diese Wendung bezieht sich auf „Obst", während 果 allein entweder „Frucht" oder „Nuss" bedeuten kann.

果汁 Fruchtsaft (guo³ zhi¹)

Obst + Saft

吃水果 Obst essen (chi¹ shui³ guo³)

essen + Wasser + Frucht = Obst essen

喝果汁 Fruchtsaft trinken (he¹ guo³ zhi¹)

trinken + Frucht + Saft

瓜 Melone (gua[1])

Die früheste Form dieses Zeichens war ein Piktogramm einer großen Frucht, die zwischen verschlungenen Ranken hängt. Die große Frucht ähnelt inzwischen dem Zeichen für „privat“ 厶 (si[1]), aber die Ranken sind immer noch gut in den geschwungenen Linien zu erkennen, die 厶 umgeben.

Das Zeichen 瓜 wird häufig für große, fleischige Obst- oder Gemüsesorten mit harter Schale verwendet und bedeutet daher nicht nur „Melone“, sondern auch „Kürbis“ oder „Flaschenkürbis“.

魚 Fisch (yu²)

Heute sieht der obere Teil des Zeichens 魚 ein wenig wie ein Angelhaken aus, aber in der Orakelknochenschrift ähnelte es einem Fischkopf. Die Rechtecke in der Mitte des Zeichens waren früher gewinkelte Linien und stellten die Schuppen dar, und die Striche unten waren die Schwanzflosse. Die vereinfachte Form des Zeichens sieht so aus: 鱼.

貝 Muschel (bei⁴)

Kaurimuscheln waren in Afrika und Asien früher ein beliebtes Zahlungsmittel. Aus diesem Grund wurde das Zeichen 貝 oft in der Bedeutung „Währung“ oder „Geld“ verwendet. Die vereinfachte Form lautet 贝. Taucht 貝 in einer Zusammensetzung auf, hat diese entweder etwas mit Fisch oder mit Handel zu tun. So ist zum Beispiel „kaufen“ 買 (mai³; vereinfachte Form: 买) eine Kombination aus „Netz“ 罒 und „Muschel“ 貝; „verkaufen“ 賣 (mai⁴; vereinfachte Form: 卖) setzt sich aus „Gelehrter“ 士, „Netz“ 罒 und „Muschel“ 貝 zusammen. „Wohlstand“ 財 (cai²; vereinfachte Form: 财) ist eine Kombination aus „Muschel“ 貝 und „Talent“ 才 (cai²); „arm“ 貧 (pin²; vereinfachte Form: 贫) besteht aus „teilen“ 分 und „Muschel“ 貝.

蛙 Frosch (wa^{1})

Dieses Zeichen ist eine Kombination aus „Insekt" 虫 (chong^{2}), das die Bedeutung angibt, und 圭 (gui^{1}), das die Aussprache anzeigt. Im Altchinesischen wurde mit dem Zeichen 圭 das raue, tiefe Quaken des Frosches bezeichnet.

Die Wendung „Froschmensch" 蛙人 (wa^{1} ren^{2}) wird in der Bedeutung „Froschmann" oder „Taucher" verwendet. Der Ausdruck „Regenfrosch" 雨蛙 (yu^{3} wa^{1}) bezeichnet die Froschgattung *Hyla* aus der Familie der Laubfrösche. Ein „Ochsenfrosch" heißt 牛蛙 (niu^{2} wa^{1}; Kuh + Frosch).

龜 Schildkröte (gui^{1})

Ursprünglich war dieses Zeichen ein Piktogramm einer Schildkröte mit Kopf, Beinen und Schwanz, die aus dem Panzer hervorsahen. In seiner heutigen Form erkennt man oben noch den Kopf und unten den Schwanz. Die vier Beine befinden sich links und der Panzer rechts. Das Zeichen kann sich sowohl auf Land- als auch auf Meeresschildkröten beziehen. Die vereinfachte Form lautet 龟 – eine ähnliche Form, aber mit weniger Strichen. Orakelknochen-Inschriften, die früheste Form der chinesischen Schrift, waren häufig in Stücke von Schildkrötenpanzern geritzt. Es passt gut, dass einige Exemplare die Zeiten überdauert haben, da die Schildkröte in der chinesischen Kultur für langes Leben, Weisheit und Ausdauer steht.

肉 Fleisch (rou^{4})

Die ursprüngliche Form dieses Zeichens sah aus wie ein dickes Stück Fleisch mit sichtbaren Adern. In der heutigen Form sehen die Adern aus wie zwei „Menschen“ 人 übereinander und der Bestandteil 冂 stellt den Rand des Fleischstücks dar.

In der Form 月 wird das Zeichen als Bestandteil von bestimmten Zusammensetzungen verwendet. Diese moderne Form sieht genauso aus wie das Zeichen für „Mond“ 月 (siehe S. 28). Im Altchinesischen waren sie jedoch unterschiedlich: Die Form von „Fleisch“ in Zusammensetzungen war ⺼, mit unverbundenen diagonalen Linien in der Mitte. Im Lauf der Zeit wurde ⺼ immer mehr wie „Mond“ 月 geschrieben.

Sieht man „Fleisch“ 月 in einem zusammengesetzten Zeichen, hat die Bedeutung wahrscheinlich etwas mit „Fleisch“ oder Körperteilen zu tun, wie etwa „Leber“ 肝 (gan^{1}), „Muskel“ 肌 (ji^{1}), „Magen“ 胃 (wei^{4}) oder „Schulter“ 肩 (jian^{1}).

Das Zeichen 肉 ist auch sehr nützlich, wenn es um Fleisch, Geflügel und Fisch geht. Hier bilden wir Wendungen auf folgende einfache Weise: „Tiername“ + „Fleisch“. Beispiele:

Rindfleisch = Kuh + Fleisch = 牛肉 (niu^{2} rou^{4})

Schweinefleisch = Schwein + Fleisch = 豬肉 (zhu^{1} rou^{4})

Lammfleisch = Schaf + Fleisch = 羊肉 (yang^{2} rou^{4})

Hühnchen (Geflügel) = Huhn + Fleisch = 鸡肉 (ji^{1} rou^{4})

Fisch = Fisch + Fleisch = 魚肉 (yu^{2} rou^{4})

Super easy!

牛肉面 Rindfleischnudeln (niu^{2} rou^{4} mian^{4})

Kuh + Fleisch + Nudel = Rindfleischnudeln

鸡肉面 Hühnchennudeln (ji^{1} rou^{4} mian^{4})

Huhn + Fleisch + Nudeln = Hühnchennudeln

肉

鸡

魚

Zum Weiterlesen

Weitere Wendungen rund ums Essen

Ich werde häufig nach meinen liebsten chinesischen Speisen oder meinem Lieblings-Chinarestaurant in einer bestimmten Stadt gefragt. Solche Fragen kann ich aber nicht beantworten. Ich bin in Taipei aufgewachsen, wo es so etwas wie „chinesisches Essen" nicht gibt; wir unterscheiden zwischen der Küche von Shanghai, Beijing, Hunan, Sichuan, Shandong, Guangdong und noch vielen anderen Regionen. Es gibt regionale Unterschiede in der Zubereitung von Speisen und die Zutaten werden oft von Faktoren wie landwirtschaftliche Verfügbarkeit, geografische Einschränkungen, Religion oder Tradition bestimmt. Mein Rat: Bleiben Sie offen. Manchmal erleben wir eine unvergessliche Überraschung, wenn wir etwas Neues ausprobieren!

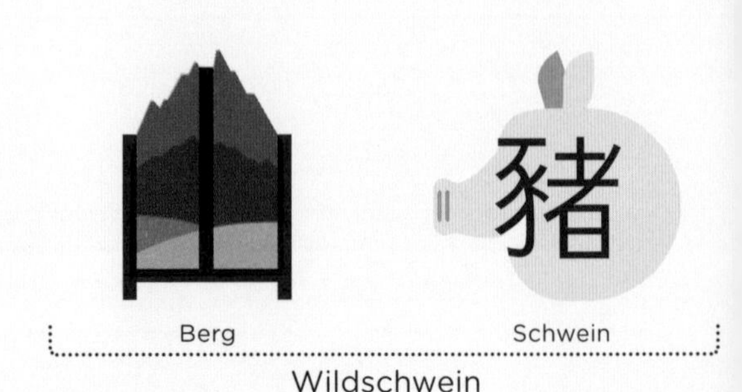

山豬 Wildschwein (shan^1 zhu^1)

Berg + Schwein = Wildschwein

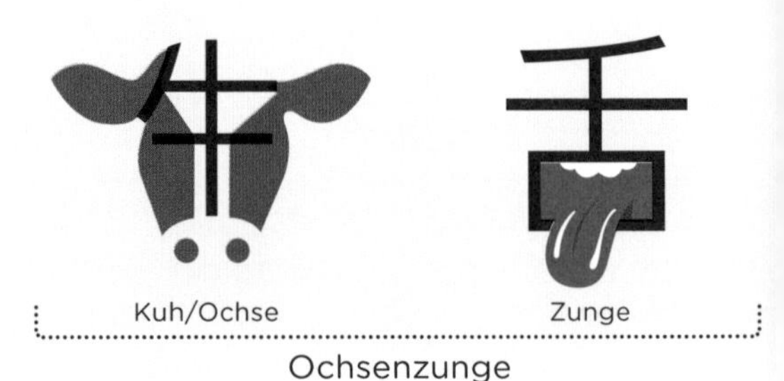

牛舌 Ochsenzunge (niu^2 she^2)

Kuh/Ochse + Zunge = Ochsenzunge

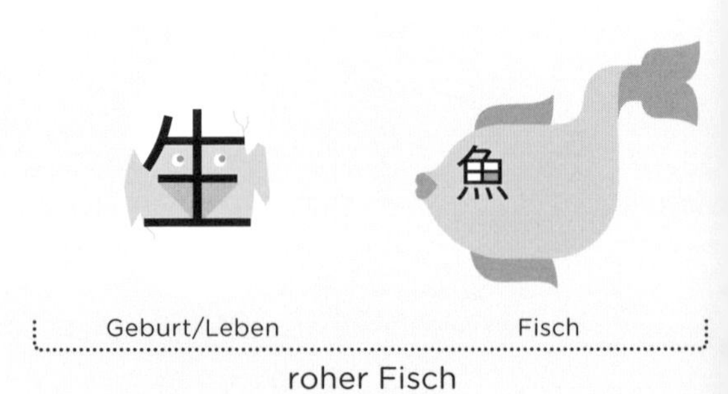

生魚 roher Fisch (sheng^1 yu^2)

Geburt/Leben + Fisch = roher Fisch

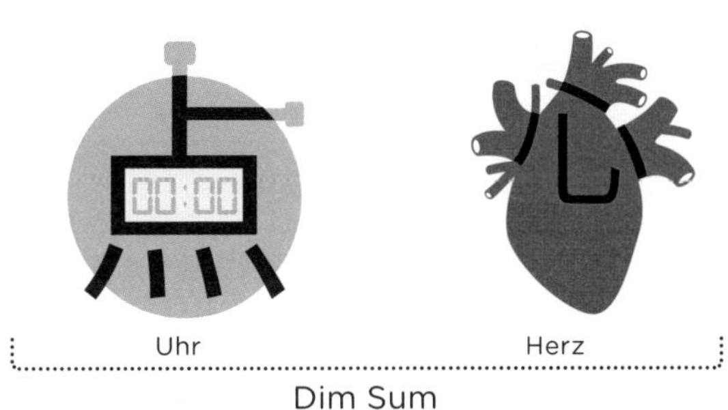

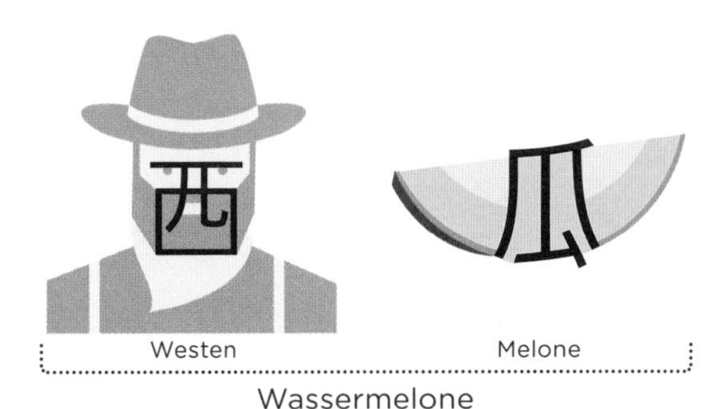

点心 Dim Sum (dian[3] xin[1])

Uhr + Herz = Dim Sum

西瓜 Wassermelone (xi[1] gua[1])

Westen + Melone = Wassermelone

羊肉面 Lammnudeln (yang[2] rou[4] mian[4])

Schaf + Fleisch + Nudel = Lammnudeln

Wendungen & Sätze für Fortgeschrittene

Chinesisch lernen macht Spaß! Wenn Sie erst einmal einige Hundert grundlegende Zeichen und Wendungen erkennen, können Sie komplexere Wendungen und sogar ganze Sätze bilden. Hier sind einige Beispiele mit Zeichen und Wendungen, die Sie in diesem Buch gelernt haben.

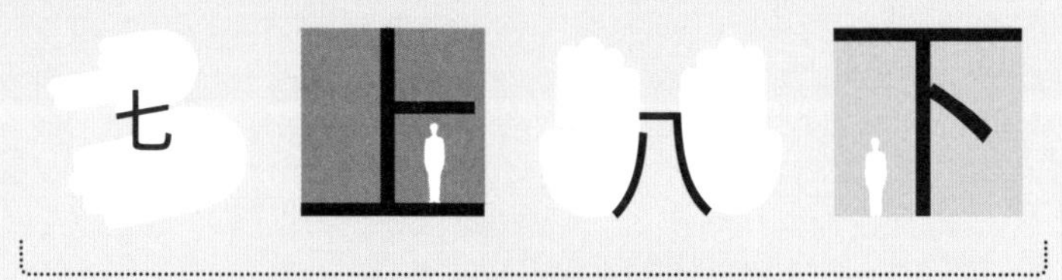

sehr beunruhigt sein (Seite 24, 124, 24, 124)

七上八下

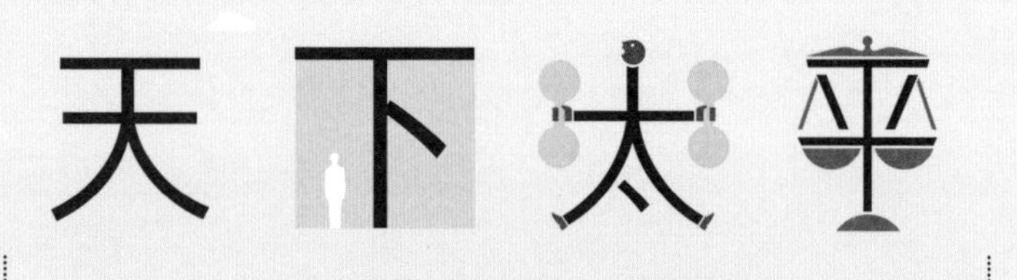

Friede auf Erden (Seite 55, 124, 63, 130)

天下太平

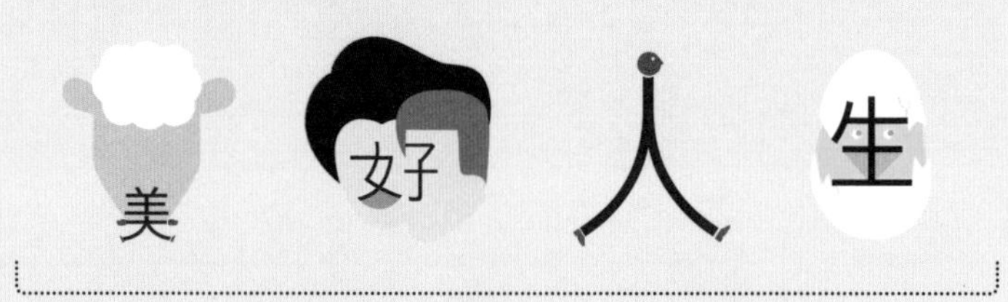

Das Leben ist schön. (Seite 150, 123, 62, 40)

美好人生

mobiles Internet (Seite 146, 160, 124, 186)

手機上網 (traditionelles Chinesisch); 手机上网 (vereinfachtes Chinesisch)

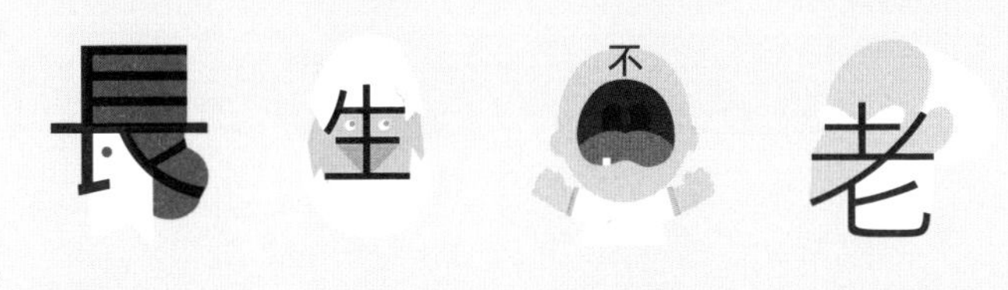

langes Leben, Unsterblichkeit (Seite 132, 40, 122, 125)

長生不老 (traditionelles Chinesisch); 长生不老 (vereinfachtes Chinesisch)

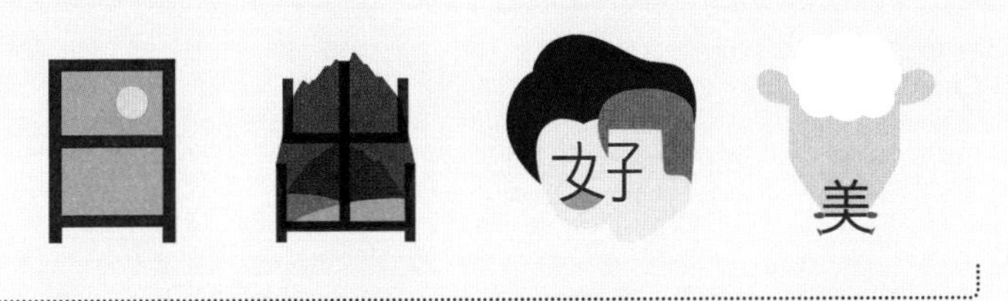

Der Sonnenaufgang ist schön. (Seite 28, 150, 123, 150)

日出好美

Morgen wird es bewölkt sein. (Seite 30, 55, 56)

明天陰天 (traditionelles Chinesisch); 今天阴天 (vereinfachtes Chinesisch)

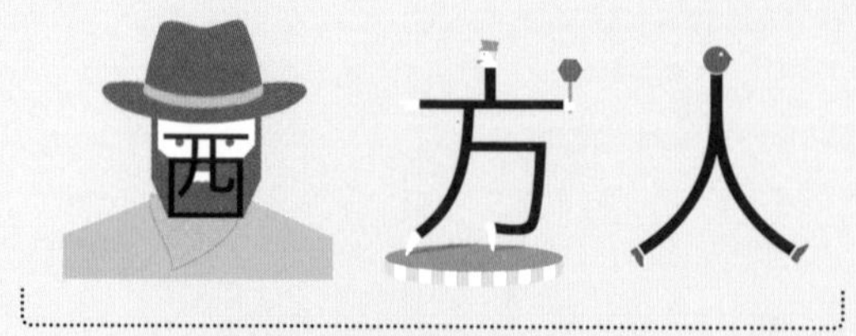

Westler (Seite 170, 176, 62)
西方人

Abfahrt aus Shanghai (Seite 179, 150, 143)
上海出發 (traditionelles Chinesisch); 上海出发 (vereinfachtes Chinesisch)

Kohlekraftwerk (Seite 47, 195, 143, 92, 158)
火力發電站 (traditionelles Chinesisch); 火力发电站 (vereinfachtes Chinesisch)

Bahnhof Taipei (Seite 181, 156, 158)
台北火車站 (traditionelles Chinesisch); 台北火车站 (vereinfachtes Chinesisch)

Sprecher(in) (Seite 143, 196, 62)

發言人 (traditionelles Chinesisch); 发言人 (vereinfachtes Chinesisch)

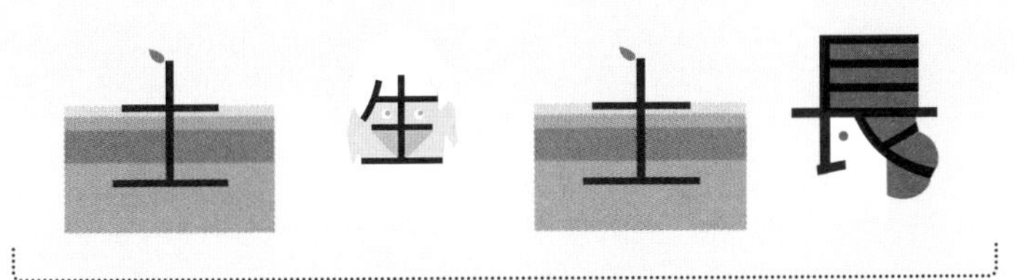

aus regionaler Landwirtschaft (Seite 48, 40, 132)

土生土長 (traditionelles Chinesisch); 土生土长 (vereinfachtes Chinesisch);

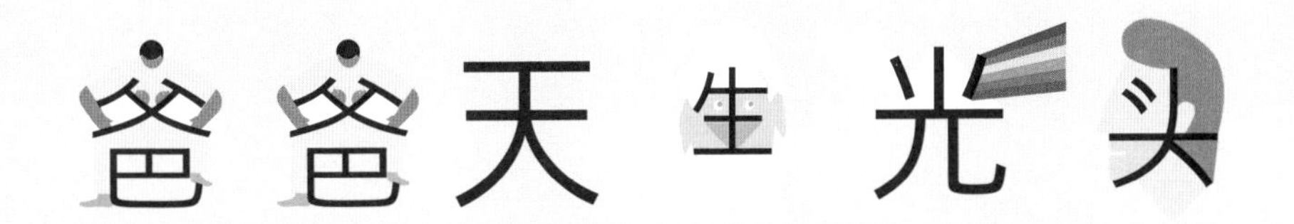

Papa hat eine erblich bedingte Glatze. (Seite 70, 55, 40, 54, 142)

爸爸天生光頭 (traditionelles Chinesisch); 爸爸天生光头 (vereinfachtes Chinesisch)

Frau Lin isst kein Fleisch. (Seite 49, 65, 122, 202, 212)

林太太不吃肉

Tennisschläger (Seite 191, 150)

網球拍 (traditionelles Chinesisch); 网球拍 (vereinfachtes Chinesisch)

Amerika ist so groß. (Seite 174, 123, 63)

美國好大 (traditionelles Chinesisch); 美国好大 (vereinfachtes Chinesisch)

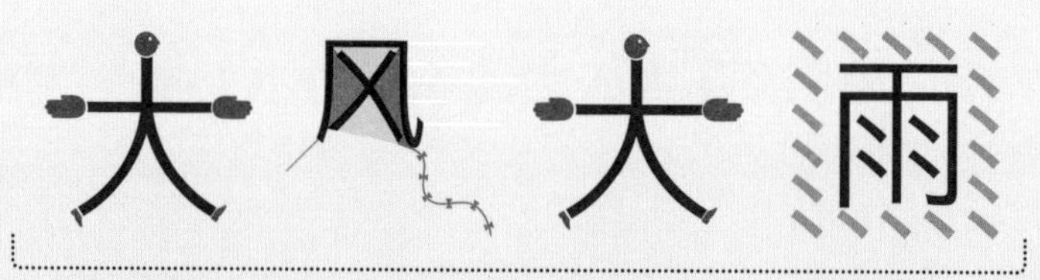

Starker Wind und schwerer Regen (Seite 63, 94, 89)

大風大雨 (traditionelles Chinesisch); 大风大雨 (vereinfachtes Chinesisch)

Sichuan-Riesenpanda (Seite 177, 63, 104, 110)

四川大熊貓 (traditionelles Chinesisch); 四川大熊猫 (vereinfachtes Chinesisch)

Sei jeden Tag glücklich. (Seite 55, 159, 144)

天天開心 (traditionelles Chinesisch); 天天开心 (vereinfachtes Chinesisch)

Sag kein Wort! (Seite 22, 196, 122, 143)

一言不發 (traditionelles Chinesisch); 一言不发 (vereinfachtes Chinesisch)

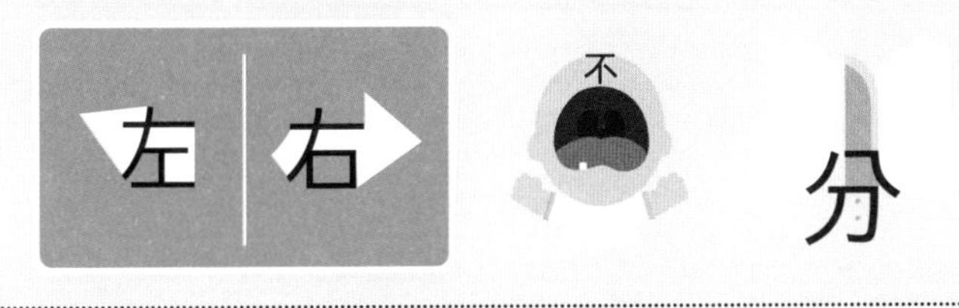

links und rechts nicht unterscheiden können (Seite 126, 127, 122, 194)

左右不分

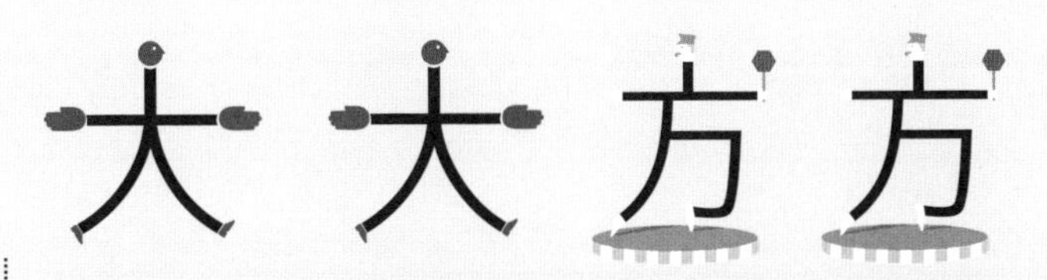

selbstbewusst und natürlich; unverblümt (Seite 63, 176)

大大方方

VERZEICHNIS

WICHTIGE ZEICHEN
REGISTER DER ZEICHEN UND WENDUNGEN
DANKSAGUNGEN

Wichtige Zeichen

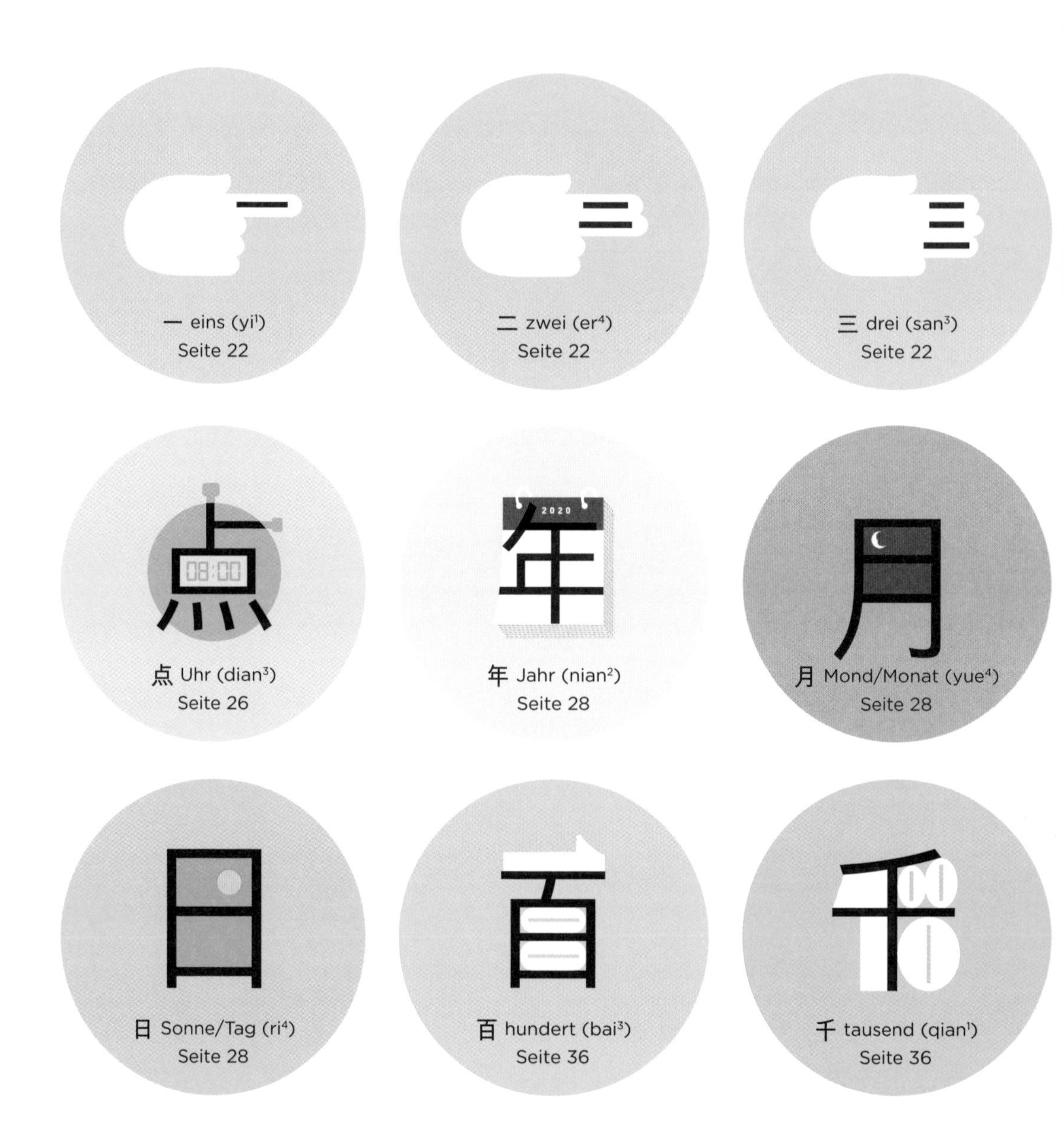

元 Dollar (yuan²)
Seite 37
生 Geburt (sheng¹)
Seite 40
水 Wasser (shui³)
Seite 46
火 Feuer (huo³)
Seite 47
土 Boden (tu³)
Seite 48
木 Baum (mu⁴)
Seite 49
金 Gold/Metall (jin¹)
Seite 50
星 Stern (xing¹)
Seite 52
光 Licht (guang¹)
Seite 54

天
天 Himmel (tian¹)
Seite 55
陰
陰 Yin (yin¹)
Seite 56
陽
陽 Yang (yang²)
Seite 57
人
人 Mensch (ren²)
Seite 62
众
众 Menschenmenge
(zhong⁴) Seite 63
女
女 Frau (nü³)
Seite 66
男
男 Mann (nan²)
Seite 67
父
父 Vater (fu⁴)
Seite 68
母
母 Mutter (mu³)
Seite 69

爸 Vater (ba^4)
Seite 70

媽 Mutter (ma^1)
Seite 71

子 Sohn/Kind (zi^3)
Seite 72

王 König (wang^2)
Seite 74

主 Meister (zhu^3)
Seite 75

工 Arbeit (gong^1)
Seite 76

巫 Hexe (wu^1)
Seite 77

丑 Clown (chou^3)
Seite 78

士 Gelehrter (shi^4)
Seite 79

佛 Buddha (fo²)
Seite 82
后
后 Königin/Kaiserin (hou⁴)
Seite 85
山 Berg (shan¹)
Seite 88
川
川 Fluss (chuan¹)
Seite 88
雨
雨 Regen (yu³)
Seite 89
气
气 Luft (qi⁴)
Seite 93
风
风 Wind (feng¹)
Seite 94
石
石 Stein (shi²)
Seite 95
牛 Kuh (niu²)
Seite 104

熊 Bär (xiong^{2})
Seite 104

馬 Pferd (ma^{3})
Seite 105

羊 Schaf (yang^{2})
Seite 105

蛇 Schlange (she^{2})
Seite 106

兔 Kaninchen (tu^{4})
Seite 106

鸡 Huhn (ji^{1})
Seite 107

鼠 Ratte (shu^{3})
Seite 107

犬 Hund (quan^{3})
Seite 108

狗 Hund (gou^{3})
Seite 108

豬 Schwein (zhu^{1})
Seite 109

猴 Affe (hou^{2})
Seite 110

鳥 Vogel (niao^{3})
Seite 111

毛 Haar/Fell (mao^{2})
Seite 112

象 Elefant (xiang^{4})
Seite 113

龙 Drache (long^{2})
Seite 116

虎 Tiger (hu^{3})
Seite 116

大 groß (da^{4})
Seite 120

小 klein (xiao^{3})
Seite 120

又 wieder (you⁴)
Seite 121
不 nicht; kein (bu⁴)
Seite 122
不
上
上 oben; über (shang⁴)
Seite 124
下
下 unten; unter (xia⁴)
Seite 124
老
老 alt (lao³)
Seite 125
左
左 links (zuo³)
Seite 126
右
右 rechts (you⁴)
Seite 127
中
中 Mitte (zhong¹)
Seite 128
平
平 gleich (ping²)
Seite 130

半 halb (ban4)
Seite 131
長 lang; wachsen
(chang2) Seite 132
高 groß; hoch (gao1)
Seite 133
口 Mund (kou3)
Seite 138
耳 Ohr (er3)
Seite 140
目 Auge (mu4)
Seite 141
头 Kopf (tou)
Seite 142
发 Haare (fa3)
Seite 143
心 Herz (xin1)
Seite 144

舌 Zunge (she^2)
Seite 145

足 Fuß (zu^2)
Seite 147

骨 Knochen (gu^3)
Seite 148

車 Auto (che^1)
Seite 154

舟 Boot (zhou^1)
Seite 155

站 stehen; Station (zhan^4)
Seite 158

几 wie viele (ji^3)
Seite 160

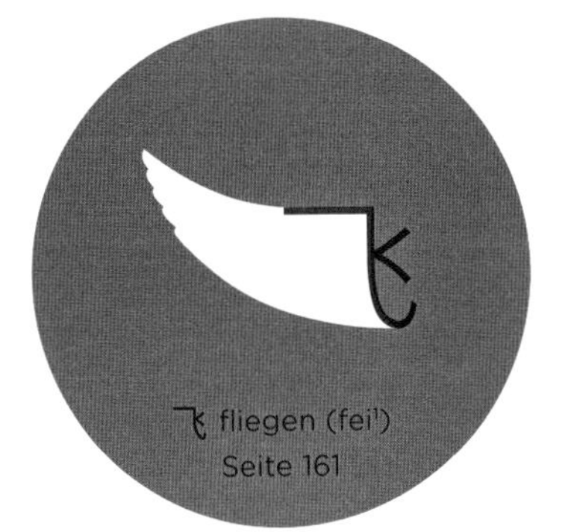

飞 fliegen (fei^1)
Seite 161

東 Osten (dong^1)
Seite 170

西 Westen (xi^{1})
Seite 170

南 Süden (nan^{2})
Seite 170

北 Norden (bei^{3})
Seite 170

京 Hauptstadt (jing^{1})
Seite 172

海 Meer (hai^{3})
Seite 173

方 Richtung (fang^{1})
Seite 176

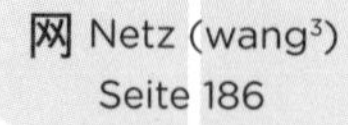

网 Netz (wang^{3})
Seite 186

友 Freund (you^{3})
Seite 187

球 Ball (qiu^{2})
Seite 190

刀 Messer (dao^{1})
Seite 192

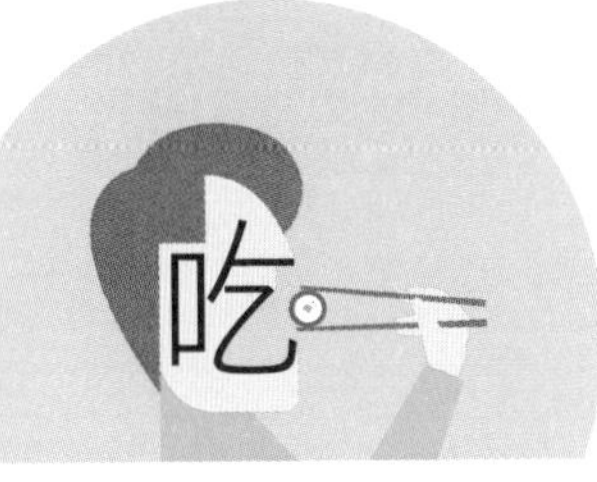

吃 essen (chi^{1})
Seite 202

喝 trinken (he^{1})
Seite 203

茶 Tee (cha^{2})
Seite 204

酒 Wein (jiu^{3})
Seite 205

果 Frucht; Nuss (guo^{3})
Seite 208

魚 Fisch (yu^{2})
Seite 210

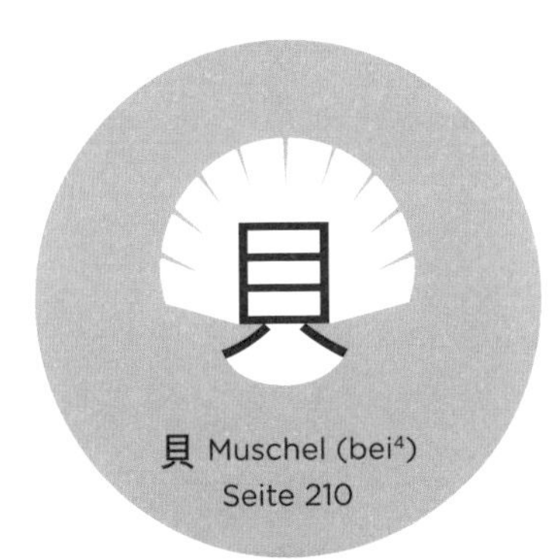

貝 Muschel (bei^{4})
Seite 210

肉 Fleisch (rou^{4})
Seite 212

馬
虫
虫
虫
牛
馬
虫

小
虫
虫
馬 Pferd
虫 Insekt
牛 Kuh
小 klein

魚
魚

仙 unsterblich
魚 Fisch
飞 fliegen
戶 Haushalt

林 木 林 木

鹿

鳥

火

林 Hain
木 Baum/hölzern
鹿 Hirsch
鳥 Vogel
羽 Feder
火 Feuer

Register der Zeichen und Wendungen

Mit Chineasy lernen Sie hauptsächlich traditionelle chinesische Zeichen (siehe Seite 18). Wo sich traditionelle und vereinfachte Form eines Zeichens voneinander unterscheiden, wird die traditionelle Form zuerst angegeben und dann die vereinfachte. Wo kein Unterschied zwischen den beiden Formen eines Zeichens angegeben ist, sind traditionelle und vereinfachte Form identisch.

分心	abgelenkt sein (fen^1 xin^1)	194
八	acht (ba^1)	24
猴	Affe (hou^2)	110
猿	Affe (yuan^2)	108
針灸	Akupunktur (zhen^1 jiu^3)	151
老	alt (lao^3)	125
古	alt/uralt (gu^3)	125
老太太	alte Dame (lao^3 tai^4 tai)	125
老友	alter Freund (lao^3 you^3)	125
老人	alter Mensch (lao^3 ren^2)	125
姐	ältere Schwester (jie^3)	63
哥	älterer Bruder (ge^1)	63
大姐	älteste Schwester (da^4 jie^3)	63
大哥	ältester Bruder (da^4 ge^1)	63
天生	angeboren (tian^1 sheng^1)	55
工	Arbeit (gong^1)	76
工人	Arbeiter (gong^1 ren^2)	76
女工	Arbeiterin (nü^3 gong^1)	76
貧/贫	arm (pin^2)	210
自大	arrogant (zi^4 da^4)	189
左右手	Assistent (zuo^3 you^4 shou^3)	146
大西洋	Atlantischer Ozean (da^4 xi^1 yang^2)	175
長大/长大	aufwachsen (zhang^3 da^4)	132
目	Auge (mu^4)	141
下車/下车	(aus dem Auto) aussteigen (xia^4 che^1)	162
下飛機/下飞机	aus dem Flugzeug aussteigen (xia^4 fei^1 ji^1)	163
下機/下机	aus dem Flugzeug aussteigen (xia^4 ji^1)	163
下網/下网	aus dem Netz (Internet) ausloggen/das (physische) Netz niederlegen (xia^4 wang^3)	186
出口	Ausgang (chu^1 kou^3)	165
洋人	Ausländer (yang^2 ren^2)	173
最	äußerst (zui^4)	134
車/车	Auto (che^1)	154
汽車/汽车	Automobil (qi^4 che^1)	156

火車站/火车站 Bahnhof (huo^3 che^1 zhan^4) 164
熊 Bär (xiong^2) 104
樹/树 Baum (shu^4) 49
木 Baum/hölzern (mu^4) 49
北京 Beijing (bei^3 jing^1) 179
視/视 beobachten (shi^4) 197
山 Berg (shan^1) 88
山羊 Bergziege (shan^1 yang^2) 105
忙 beschäftigt (mang^2) 144
特別/特别 besonders (te^4 bie^2) 134
送終/送终 Bestattungszeremonie (song^4 zhong^1) 43
百姓 Bevölkerung/Einwohner (bai^3 xing^4) 36
苦 bitter (ku^3) 204
電/电 Blitz/Elektrizität (dian^4) 92
卡 blockieren (ka^3) 125
藍芽/蓝牙 Bluetooth (lan^2 ya^2) 199
土 Boden/Erde (tu^3) 48
船 Boot (chuan^2) 155
舟 Boot (zhou^1) 155
煎 braten (jian^1) 47
炎 brennend heiß (yan^2) 47
佛 Buddha (fo^2) 82
公車/公车 Bus (gong^1 che^1) 156
公交車/公交车 Bus (gong^1 jiao^1 che^1) 156
公車站/公车站 Bushaltestelle (gong^1 che^1 zhan^4) 164

中國/中国 China (zhong^1 guo^2) 174
丑 Clown (chou^3) 78
電腦/电脑 Computer (dian^4 nao^3) 199
機/机 Computer/Maschine (ji^1) 163

女士 Dame (nü^3 shi^4) 81
水氣/水气 Dampf (shui^3 qi^4) 99
思 denken (si^1) 144
北方 der Norden/in nördlicher Richtung (bei^3 fang^1) 176
東方/东方 der Osten/in östlicher Richtung (dong^1 fang^1) 176
南方 der Süden/in südlicher Richtung (nan^2 fang^1) 176
西方 der Westen/in westlicher Richtung (xi^1 fang^1) 176
點心/点心 Dim Sum (dian^3 xin^1) 215
東西/东西 Ding/Sache (dong^1 xi) 170
元 Dollar (yuan^2) 37
雷 Donner (lei^2) 90
六六大順/六六大顺 „doppelte Sechs“ (Alles Gute; Viel Glück) (liu^4 liu^4 da^4 shun^4) 23
龍/龙 Drache (long^2) 116
無線/无线 drahtlos (wu^2 xian^4) 199
三 drei (san^3) 22

太太 Ehefrau (tai4 tai) 65
開飛機/开飞机 ein Flugzeug fliegen (kai1 fei1 ji1) 163
開機/开机 eine Maschine/einen Computer einschalten (kai1 ji1) 163
一百萬/一百万 eine Million (yi4 bai3 wan4) 42
入口 Eingang (ru4 kou3) 165
一 eins (yi1) 22
上車/上车 (in ein Auto) einsteigen (shang4 che1) 162
象 Elefant (xiang4) 113
電動汽車/电动汽车 Elektroauto (dian4 dong4 qi4 che1) 157
電子/电子 Elektron (dian4 zi3) 98
英國/英国 England (ying1 guo2) 174
鴨/鸭 Ente (ya1) 111
示 enthüllen (shi4) 197
地球 Erdball (di4 qiu2) 191
發明/发明 erfinden (fa1 ming2) 143
功 Erfolg (gong1) 195
生病 erkranken (sheng1 bing4) 149
症 Erkrankung (zheng4) 149
瘁 ermattet (cui4) 149
疲 erschöpft (pi2) 149
大人 Erwachsener (da4 ren2) 64
我很好 Es geht mir gut (wo3 hen3 hao3) 134
吃 essen (chi1) 202
吃東西/吃东西 etwas essen (chi1 dong1 xi) 202
坐車/坐车 (mit dem Auto) fahren (zuo4 che1) 162
羽 Feder (yu3) 91
田 Feld (tian2) 67
風水/风水 Feng Shui (feng1 shui3) 100
電視/电视 Fernseher (dian4 shi4) 197
女朋友 feste Freundin (nü3 peng2 you3) 188
女友 feste Freundin (nü3 you3) 188
男朋友 fester Freund (nan2 peng2 you3) 188
男友 fester Freund (nan2 you3) 188
火 Feuer (huo3) 47
火光 Feuerschein (huo3 guang1) 54
電影/电影 Film (dian4 ying3) 199
魚肉/鱼肉 Fisch (yu2 rou4) 212
魚/鱼 Fisch (yu2) 210
焱 Flammen (yan4) 47
肉 Fleisch (rou4) 212
飛/飞 fliegen (fei1) 161
嬲 flirten (nao3) 85
飛機/飞机 Flugzeug (fei1 ji1) 162
川 Fluss (chuan1) 88
從/从 folgen (cong2) 62

光電/光电	fotoelektrisch (guang1 dian4)	98
女人	Frau/weiblich (nü3 ren2)	66
女	Frau/weiblich (nü3)	66
大吃大喝	fressen wie ein Schwein (da4 chi1 da4 he1)	203
朋友	Freund (peng2 you3)	187
朋	Freund (peng2)	150
友	Freund (you3)	187
豬朋狗友/猪朋狗友	Freund mit einem schlechten Einfluss (zhu1 peng2 gou3 you3)	187
交朋友	Freunde finden (jiao1 peng2 you3)	188
蛙	Frosch (wa1)	211
蛙人	Froschmann/Taucher (wa1 ren2)	211
果	Frucht/Nuss (guo3)	208
果汁	Fruchtsaft (guo3 zhi1)	208
喝果汁	Fruchtsaft trinken (he1 guo3 zhi1)	208
早	früher Morgen (zao3)	43
狸	Fuchs (li2)	108
五	fünf (wu3)	23
半百	fünfzig (ban4 bai3)	131
五十	fünfzig (wu3 shi2)	131
足	Fuß (zu2)	147
足球	Fußball (zu2 qiu2)	191
主人	Gastgeber (zhu3 ren2)	81
男主人	Gastgeber/Besitzer (nan2 zhu3 ren2)	81
女主人	Gastgeberin (nü3 zhu3 ren2)	81
夫人	Gattin (fu1 ren2)	65
生	Geburt/Leben (sheng1)	40
生日	Geburtstag (sheng1 ri4)	41
生日卡	Geburtstagskarte (sheng1 ri4 ka3)	125
囚	Gefangener (qiu2)	138
對/对	gegenüberstehen/auf etwas gerichtet sein/korrigieren (dui4)	190
對手/对手	Gegner (dui4 shou3)	190
耳目	Geheimdienstinformationen/spionieren (er3 mu4)	140
飯/饭	gekochter Reis (fan4)	206
悶/闷	gelangweilt (men4)	144
士	Gelehrter (shi4)	79
發生/发生	geschehen (fa1 sheng1)	143
手足	Geschwister (shou3 zu2)	147
面	Gesicht (mian4)	207
雷雨	Gewitter (lei2 yu3)	97
平	gleich (ping2)	130
吉	Glück bringend (ji2)	150
炎炎	glühend heiß (yan2 yan2)	47
金	Gold/Metall (jin1)	50
高球	Golf (gao1 qiu2)	191

猩	Gorilla (xing^{1})	108
天主	Gott (tian^{1} zhu^{3})	80
草	Gras (cao^{3})	204
大	groß (da^{4})	63
長高/长高	groß werden (zhang^{3} gao^{1})	133
高	groß/hoch (gao^{1})	133
大小	Größe (da^{4} xiao^{3})	120
長城/长城	Große Mauer (chang^{2} cheng^{2})	132
淼	große Wasserfläche (miao^{3})	46
大男人	großer Mann/Chauvinist (da^{4} nan^{2} ren^{2})	67
大明星	großer Star (da^{4} ming^{2} xing^{1})	52
本	Grundlage/Ursprung (ben^{3})	150
好	gut/O.K. (hao^{3})	123
你好	Guten Tag (ni^{3} hao^{3})	123
好朋友	guter Freund (hao^{3} peng^{2} you^{3})	187
髮/发	Haar/Fell (fa^{3})	143
毛	Haar/Fell/rau (mao^{2})	112
林	Hain (lin^{2})	49
半	halb (ban^{4})	131
手	Hand (shou^{3})	146
手球	Handball (shou^{3} qiu^{2})	191
手工	handgefertigt (shou^{3} gong^{1})	193
手機/手机	Handy (shou^{3} ji^{1})	189
醜/丑	hässlich (chou^{3})	78
京	Hauptstadt (jing^{1})	172
聖/圣	Heiliger (sheng^{4})	140
家	Heim (jia^{1})	109
光明	hell (guang^{1} ming^{2})	54
明	hell/morgen (ming^{2})	30
明月	heller Mond/Monat (ming^{2} yue^{4})	31
明星	heller Stern/Berühmtheit (ming^{2} xing^{1})	52
心	Herz (xin^{1})	144
心病	Herzerkrankung (xin^{1} bing^{4})	149
女巫	Hexe (nü^{3} wu^{1})	77
天	Himmel (tian^{1})	55
出	hinausgehen (chu^{1})	150
小米	Hirse (xiao^{3} mi^{3})	206
木	hölzern (mu^{4})	157
雞/鸡	Huhn (ji^{1})	107
雞肉/鸡肉	Hühnchen (Geflügel) (ji^{1} rou^{4})	212
雞肉麵/鸡肉面	Hühnchennudeln (ji^{1} rou^{4} mian^{4})	212
犬	Hund (quan^{3})	108
百	hundert (bai^{3})	36
一億/一亿	hundert Millionen (yi^{2} yi^{4})	42
吾	ich/mein (wu^{2})	196

上網/上网 im Internet surfen (shang^4 wang^3) 186

上飛機/上飞机 in ein Flugzeug einsteigen (shang^4 fei^1 ji^1) 163

上機/上机 in ein Flugzeug einsteigen (shang^4 ji^1) 163

蟲/虫 Insekt (chong^2) 106, 211

玉 Jade (yu^4) 150

年 Jahr (nian^2) 28

長江/长江 Jangtse (chang^2 jiang^1) 179

日本 Japan (ri^4 ben^3) 175

天天 jeden Tag (tian^1 tian^1) 55

人人 jeder (ren^2 ren^2) 64

吉林 Jilin (ji^2 lin^2) 177

男生 Jungen (nan^2 sheng^1) 85

木星 Jupiter (mu^4 xing^1) 53

皇 Kaiser (huang^2) 85

天子 Kaiser (tian^1 zi^3) 80

舠 Kajak (dao^1) 155

兔 Kaninchen (tu^4) 106

兔毛 Kaninchenfell (tu^4 mao^2) 112

貓/猫 Katze (mao^1) 110

買/买 kaufen (mai^3) 210

小朋友 Kinder (xiao^3 peng^2 you^3) 188

白酒 klarer Schnaps (bai^2 jiu^3) 205

小 klein (xiao^3) 120

小明星 kleine Berühmtheit (xiao^3 ming^2 xing^1) 52

几 kleiner Tisch (ji^1) 160

小汽車/小汽车 Kleinwagen (xiao^3 qi^4 che^1) 156

拍 klopfen/aufnehmen (pai^1) 150

骨 Knochen (gu^3) 148

苗 Knospe (miao^2) 204

煮 kochen (zhu^3) 47

王 König (wang^2) 74

女王 Königin (nü^3 wang^2) 80

后 Königin/Kaiserin (hou^4) 85

皇后 Königin/Kaiserin (huang^2 hou^4) 85

王后 Königsgemahlin (wang^2 hou^4) 85

功力 Können (gong^1 li^4) 195

頭/头 Kopf (tou) 142

頭痛/头痛 Kopfschmerzen (tou tong^4) 149

力 Kraft/Stärke (li^4) 195

病 Krankheit (bing^4) 149

疾 Krankheit (ji^2) 149

疒 (Bestandteil „Krankheit“) (ne^4) 149

球 Kugel (qiu^2) 190

牛 Kuh (niu^2) 104

功夫 Kung-Fu (gong^1 fu^1) 195

美工	Kunsthandwerk (mei^{3} gong^{1})	193
人工	künstlich (ren^{2} gong^{1})	76
羊肉	Lammfleisch (yang^{2} rou^{4})	212
羊肉麵/羊肉面	Lammnudeln (yang^{2} rou^{4} mian^{4})	215
風光/风光	Landschaft/wohlhabend (feng^{1} guang^{1})	96
長/长	lang/wachsen (chang^{2}/zhang^{3})	132
肝	Leber (gan^{1})	212
小病	leichter Infekt (xiao^{3} bing^{4})	149
光	Licht (guang^{1})	54
光年	Lichtjahr (guang^{1} nian^{2})	54
左	links (zuo^{3})	126
獅	Löwe (shi^{1})	108
忠	Loyalität (zhong^{1})	144
山貓/山猫	Luchs (shan^{1} mao^{1})	110
氣/气	Luft (qi^{4})	93
拍	(ein Foto) machen (pai^{1})	189
女生	Mädchen (nü^{3} sheng^{1})	85
胃	Magen (wei^{4})	212
玉米	Mais (yu^{4} mi^{3})	206
媽媽/妈妈	Mama (ma^{1} ma)	71
夫	Mann (fu^{1})	63
男人	Mann/männlich (nan^{2} ren^{2})	67
男	Mann/männlich (nan^{2})	67
公	männlich (Tier) (gong^{1})	117
宅男	männlicher Geek/Nerd (zhai^{2} nan^{2})	199
火星	Mars (huo^{3} xing^{1})	53
機/机	Maschine (ji^{1})	160
海	Meer (hai^{3})	173
麵粉/面粉	Mehl (mian^{4} fen^{3})	207
主	Meister (zhu^{3})	75
瓜	Melone (gua^{1})	209
人	Mensch (ren^{2})	62
眾人/众人	Menschen (zhong^{4} ren^{2})	65
一生	Menschenleben (yi^{1} sheng^{1})	41
眾/众	Menschenmenge (zhong^{4})	63
水星	Merkur (shui^{3} xing^{1})	53
刀	Messer/Schwert (dao^{1})	192
刀口	Messerschneide (dao^{1} kou^{3})	192
坐飛機/坐飞机	mit dem Flugzeug fliegen (zuo^{4} fei^{1} ji^{1})	163
交女朋友	mit seiner Freundin zusammenkommen (jiao^{1} nü^{3} peng^{2} you^{3})	188
中	Mitte (zhong^{1})	128
胖	mollig/dick (pang^{4})	66
月	Mond/Monat (yue^{4})	28
月光	Mondlicht (yue^{4} guang^{1})	54
明日	morgen (ming^{2} ri^{4})	31

明天 morgen (ming2 tian1) 55
曉/晓 Morgendämmerung (xiao3) 94
工夫 Mühe (gong1 fu1) 195
口 Mund (kou3) 138
貝/贝 Muschel (bei4) 210
肌 Muskel (ji1) 212
媽/妈 Mutter (ma1) 71
母 Mutter (mu3) 69
母子 Mutter und Sohn (mu3 zi3) 73
母女 Mutter und Tochter (mu3 nü3) 73

下個月/下个月 nächster Monat (xia4 ge4 yue4) 31
明年 nächstes Jahr (ming2 nian2) 31
南京 Nanjing (nan2 jing1) 179
不 nein/nicht (bu4) 122
網/网 Netz (wang3) 186
元旦 Neujahrstag (yuan2 dan4) 42
九 neun (jiu3) 25
北美 Nordamerika (bei3 mei3) 175
北 Norden (bei3) 170
北海 Nordsee (bei3 hai3) 175
麵/面 Nudel (mian4) 207
零 Null (ling2) 24

上 oben/über (shang4) 124
水果 Obst (shui3 guo3) 208
吃水果 Obst essen (chi1 shui3 guo3) 208
牛蛙 Ochsenfrosch (niu2 wa1) 211
牛車/牛车 Ochsenkarren (niu2 che1) 157
牛舌 Ochsenzunge (niu2 she2) 214
大眾/大众 öffentlich (da4 zhong4) 64
公 öffentlich (gong1) 156
開/开 öffnen/fahren (kai1) 159
耳 Ohr (er3) 140
網友/网友 Online-Freund (wang3 you3) 187
東海/东海 Ostchinesisches Meer (dong1 hai3) 175
東/东 Osten (dong1) 170
洋 Ozean/ausländisch (yang2) 150

對/对 Paar (dui4) 190
爸爸 Papa (ba4 ba) 70
病人 Patient (bing4 ren2) 149
太平洋 Pazifischer Ozean (tai4 ping2 yang2) 175
天馬/天马 Pegasus (tian1 ma3) 117
馬/马 Pferd (ma3) 105
馬毛/马毛 Pferdehaar/Fell (ma3 mao2) 112
馬車/马車 Pferdekutsche (ma3 che1) 157
出入口 Portal (chu1 ru4 kou3) 165

美工刀 Präzisionsmesser (mei3 gong1 dao1) 193
王子 Prinz (wang2 zi3) 80
省 Provinz (sheng3) 177
粉 Pulver (fen3) 206
點/点 Punkt/Uhr (dian3) 26

氣功/气功 Qigong (qi4 gong1) 93

猖 rasend/wild (chang1) 108
鼠 Ratte (shu3) 107
飛船/飞船 Raumschiff (fei1 chuan2) 161
右 rechts (you4) 127
話/话 reden (hua4) 196
說話/说话 reden (shuo1 hua4) 196
雨 Regen (yu3) 89
雨林 Regenwald (yu3 lin2) 96
米 Reis (mi3) 206
粽子 Reisbällchen (zong4 zi) 35
比較/比较 relativ/vergleichbar (bi3 jiao4) 134
教 Religion (jiao4) 80
方 Richtung (fang1) 176
牛肉 Rindfleisch (niu2 rou4) 212
牛肉麵/牛肉面 Rindfleischnudeln (niu2 rou4 mian4) 212
生魚/生鱼 roher Fisch (sheng1 yu2) 214
紅酒 Rotwein (hong2 jiu3) 205

汁 Saft/Sauce (zhi1) 208
言 sagen/sprechen (yan2) 196
舢 Sampan (shan1) 155
土星 Saturn (tu3 xing1) 53
頭骨/头骨 Schädel (tou gu3) 148
羊 Schaf (yang2) 105
綿羊/绵羊 Schaf (mian2 yang2) 105
羊毛 Schafwolle (yang2 mao2) 112
豺 Schakal (chai2) 108
巫 Schamane/Hexe (wu1) 77
干 Schild (gan1) 130
龜/龟 Schildkröte (gui1) 211
打 schlagen (da3) 146
蛇 Schlange (she2) 106
分手 Schluss machen/sich trennen (fen1 shou3) 194
疼 Schmerz (teng2) 149
痛 Schmerz (tong4) 149
雪 Schnee (xue3) 91
雪人 Schneemann (xue3 ren2) 97
大風雪/大风雪 Schneesturm (da4 feng1 xue3) 97
門牙/门牙 Schneidezahn (men2 ya2) 139
美 schön (mei3) 150
肩 Schulter (jian1) 212
豕 Schwein (shi3) 109
豬/猪 Schwein (zhu1) 109

豬肉/猪肉	Schweinefleisch (zhu^{1} rou^{4})	212
大雪	schwere Schneefälle (da^{4} xue^{3})	97
六	sechs (liu^{4})	23
很	sehr (hen^{3})	134
糸	Seide (mi^{4})	186
自	selbst/sich (zi^{4})	141
自拍	Selfie (zi^{4} pai^{1})	189
山東/山东	Shandong (shan^{1} dong^{1})	177
上海	Shanghai (shang^{4} hai^{3})	179
發炎/发炎	sich entzünden (fa^{1} yan^{2})	143
分開/分开	sich trennen/getrennt sein (fen^{1} kai^{1})	194
目光	Sicht/Blick (mu^{4} guang^{1})	141
四川	Sichuan (si^{4} chuan^{1})	177
七	sieben (qi^{1})	24
坐	sitzen (zuo^{4})	150
心痛	Sodbrennen (xin^{1} tong^{4})	149
子	Sohn (zi^{3})	72
太陽/太阳	Sonne (tai^{4} yang^{2})	57
日	Sonne/Tag (ri^{4})	28
旦	Sonnenaufgang (dan^{4})	43
日光	Sonnenlicht (ri^{4} guang^{1})	54
陽光/阳光	Sonnenlicht (yang^{2} guang^{1})	57
語/语	Sprache (yu^{3})	196
吐	spucken (tu^{3})	138
馬夫/马夫	Stallbursche (ma^{3} fu^{1})	117
大女人	starke Frau/Feministin (da^{4} nü^{3} ren^{2})	66
站	stehen/Station (zhan^{4})	158
扒	stehlen (pa^{2})	146
石頭/石头	Stein (shi^{2} tou)	95
石	Stein (shi^{2})	95
星	Stern/Planet (xing^{1})	52
電車/电车	Straßenbahn (dian^{4} che^{1})	157
小吃	Straßenimbiss/Snack (xiao^{3} chi^{1})	202
口舌	streiten (kou^{3} she^{2})	145
南美	Südamerika (nan^{2} mei^{3})	175
南海	Südchinesisches Meer (nan^{2} hai^{3})	175
南	Süden (nan^{2})	170
台中市	Taichung (tai^{2} zhong^{1} shi^{4})	181
台南	Tainan (tai^{2} nan^{2})	181
台北市	Taipeh (tai^{2} bei^{3} shi^{4})	181
台東/台东	Taitung (tai^{2} dong^{1})	181
台灣/台湾	Taiwan (tai^{2} wan^{1})	181
台西	Taixi (tai^{2} xi^{1})	181
才	Talent (cai^{2})	210
罔	täuschen (wang^{3})	186
千	tausend (qian^{1})	36
茶	Tee (cha^{2})	204
分	teilen (fen^{1})	194

電話/电话	Telefon (dian^4 hua^4)	196
網球/网球	Tennis (wang^3 qiu^2)	191
虎	Tiger (hu^3)	116
虎媽/虎妈	Tigermutter (hu^3 ma^1)	116
大病	tödliche Erkrankung (da^4 bing^4)	149
東京/东京	Tokyo (dong^1 jing^1)	179
長舌/长舌	Tratsch (chang^2 she^2)	145
喝	trinken (he^1)	203
下	unten/unter (xia^4)	124
不足	unzureichend (bu^4 zu^2)	147
爸	Vater (ba^4)	70
父	Vater (fu^4)	68
爸媽/爸妈	Vater und Mutter (ba^4 ma^1)	71
父母	Vater und Mutter/Eltern (fu^4 mu^3)	69
父子	Vater und Sohn (fu^4 zi^3)	73
父女	Vater und Tochter (fu^4 nü^3)	73
金星	Venus (jin^1 xing^1)	53
美國/美国	Vereinigte Staaten (mei^3 guo^2)	174
賣/卖	verkaufen (mai^4)	210
大米	verkaufsfertiger Reis (da^4 mi^3)	206
否	verneinen (fou^3)	138
瘋/疯	verrückt (feng^1)	149
狂	verrückt (kuang^2)	108
老鳥/老鸟	Veteran (lao^3 niao^3)	125
千百	viel (qian^1 bai^3)	36
大吃	viel essen (da^4 chi^1)	202
四	vier (si^4)	23
鳥/鸟	Vogel (niao^3)	111
森林	Wald (sen^1 lin^2)	49
森	Wald (sen^1)	49
百貨/百货	Waren aller Art (bai^3 huo^4)	36
水	Wasser (shui^3)	46
喝水	Wasser trinken (he^1 shui^3)	203
水電/水电	Wasser und Elektrizität (shui^3 dian^4)	98
西瓜	Wassermelone (xi^1 gua^1)	215
水球	Wasserpolo (shui^3 qiu^2)	191
母	weiblich (Tier) (mu^3)	117
宅女	weiblicher Geek/Nerd (zhai^2 nü^3)	199
酒	Wein (jiu^3)	205
酉	Weingefäß (you^3)	205
白	weiß (bai^2)	36
麥/麦	Weizen (mai^4)	207
西	Westen (xi^1)	170
天氣/天气	Wetter (tian^1 qi^4)	99
幾点/几点	wie viel Uhr (ji^3)	160

幾/几	wie viele (ji^{3})	160
又	wieder (you^{4})	121
狠	wild/grausam (hen^{3})	108
山豬	Wildschwein (shan^{1} zhu^{1})	214
風/风	Wind (feng^{1})	94
真	wirklich (zhen^{1})	134
財/财	Wohlstand (cai^{2})	210
鑫	(Symbol für Wohlstand) (xin^{1})	50
狼	Wolf (lang^{2})	108
雲/云	Wolke (yun^{2})	89
五行	Wu Xing (wu^{3} xing^{2})	51
嬲	wütend werden (niao^{3})	85
生氣/生气	wütend werden (sheng^{1} qi^{4})	99
陽/阳	Yang (yang^{2})	57
陰/阴	Yin (yin^{1})	56
齒/齿	Zahn (chi^{3})	139
牙	Zahn (ya^{2})	139
牙痛	Zahnschmerzen (ya^{2} tong^{4})	149
男巫	Zauberer (nan^{2} wu^{1})	77
十	zehn (shi^{2})	25
一萬/一万	zehntausend (yi^{2} wan^{4})	42
光陰/光阴	Zeit (guang^{1} yin^{1})	56
太	zu viel (tai^{4})	63
火車/火车	Zug (huo^{3} che^{1})	156
舌	Zunge (she^{2})	145
回	zurückkehren (hui^{2})	138
二	zwei (er^{4})	22

Danksagungen

Diese Seite aus diesem Buch war für mich am schwierigsten zu schreiben. Ich möchte so vielen Menschen danken, aber mein Platz ist beschränkt. Ich werde manchmal gefragt, ob ich den Erfolg von Chineasy vorausgeahnt hätte. Dabei verstehe ich den Begriff „Erfolg" gar nicht so richtig. Es ist ein westliches Konzept, das in meiner taoistischen Philosophie nicht existiert. Würde mich jedoch jemand fragen, ob ich glaube, dass die Entstehung von Chineasy eine Bedeutung hat, dann wäre meine Antwort ein lautes Ja. Es begann als persönliches Projekt, um meine in Großbritannien geborenen Kinder zum Chinesischlernen zu motivieren. Sprachen lernen sollte in meinen Augen Spaß machen und sowohl einfach als auch effektiv sein. In meinem TED-Talk in Kalifornien 2013 stellte ich Chineasy zum ersten Mal öffentlich vor. Seitdem haben viele Menschen bei der Realisierung des Projekts geholfen. Mein Team und ich werden ständig von Menschen aus der ganzen Welt inspiriert, die ihre Geschichten und Lernerfahrungen mit uns teilen und konstruktive Ratschläge geben. Eltern und Ärzte haben uns erzählt, wie ihre Kinder oder Patienten mit Lernschwierigkeiten mithilfe von Chineasy begonnen haben, Chinesisch zu lernen. Wenn die Menschen ihre Dankbarkeit zum Ausdruck bringen, ist ihnen gar nicht klar, dass wir eigentlich ihnen zu danken haben, weil ihre Ermunterung uns voranbringt.

Die wunderbaren Chineasy-Zeichen wurden von dem fantastischen Illustrator Noma Bar gezeichnet. Ich kann die Abende nicht zählen, an denen Noma und ich, nachdem ich die Kinder zu Bett gebracht hatte, bis in die frühen Morgenstunden am Telefon hingen und jedes Zeichen endlos durchkauten. Je später die Stunde, desto verrückter wurden unsere Ideen. Ich hoffe, unser gemeinsamer Sinn für Humor ist hinter den Illustrationen zu erkennen. Noma ist ein wahrer Künstler und es war ein großes Vergnügen, mit ihm zu arbeiten.

Ich bin in der außerordentlich glücklichen Lage, über ein Weltklasseteam zu verfügen. In den letzten acht Jahren hat Dimple Nathwani dafür gesorgt, dass jeder Aspekt meiner Arbeit und meines Lebens reibungslos funktioniert. Sie ist eine vertraute Freundin und eine Kollegin, auf die ich mich immer verlassen kann. Carissa Chan, eine vielversprechende dreisprachige junge Grafikdesignerin, war von Anfang an bei Chineasy mit im Boot; ihr Beitrag zum Projekt springt sofort ins Auge. Unsere Rechercheassistentin Rachel Liang, eine ausgebildete Chinesischlehrerin, hat uns geholfen, unseren Wissensdurst zu stillen. Dieses Buch wäre nicht möglich gewesen ohne Noma, Dimple, Carissa und Rachel. Ich bin dankbar, dass sie es mit mir aushalten.

Ich möchte auch der Herausgeberin Claire Chandler sowie Lucas Dietrich, Adélia Sabatini und Rolf Grisebach von Thames & Hudson danken, die die treibende Kraft hinter diesem Buch waren. Ebenso gilt mein Dank unseren Managern Rafe Sagalyn und Liz Farrell von ICM sowie Karolina Sutton und Nicholas McDermott von Curtis Brown, die sich um uns gekümmert haben. Für anregende Gespräche und hilfreiche Ratschläge und Unterstützung danke ich Mark Sebba, Rohan Silva, David Kester, David Rowen, Valerie Wong, Joi Ito, Dana Bar, Deb Roy, Jayce Pei Yu Lee, Helen Cowley, G. J. Huang, Tom Wong (王文華), Yi-Ching Liao (廖怡景), Jackie Lin (林香君), Y. C. Chen (陳耀昌), Richard Davies, Huei-Tse Hou (侯惠澤), Fu-Sheng Qiu (邱復生), Zhicheng Lo (羅智成) und David Chuang (莊思凌). Meine Schwester Josephine Hsueh Tsao (薛筱瑩), eine echte Chinesischdozentin an der University of San Francisco, ist mein großes Vorbild, seit ich klein war.

Meine liebste und coolste Freundin Judith Greenbury ist nach wie vor meine Inspiration und meine größte Unterstützung. Sie rufe ich an, wenn ich in der Weltgeschichte unterwegs bin. Mit diesem Buch wünsche ich ihr alles Gute zum 92. Geburtstag.

Mein Leben wird bereichert von meinen liebsten Freunden Suzy und Philip Rowley, Melissa und James Bethell, Myron Scholes, Erik Brynjolfsson, Ching-Chih Lu (盧敬植) und meiner Schwester Anchi Hsueh (薛安琪). Sie gehören zur Familie und das wird immer so bleiben. Zum Schluss hoffe ich, dass ich weiterhin die Verbindung zwischen meinem geliebten Vater (薛瑞芳), meiner lieben Mutter (林峯子), meiner Tochter MuLan (慕嵐) und meinem Sohn MuAn (慕安) sein darf.

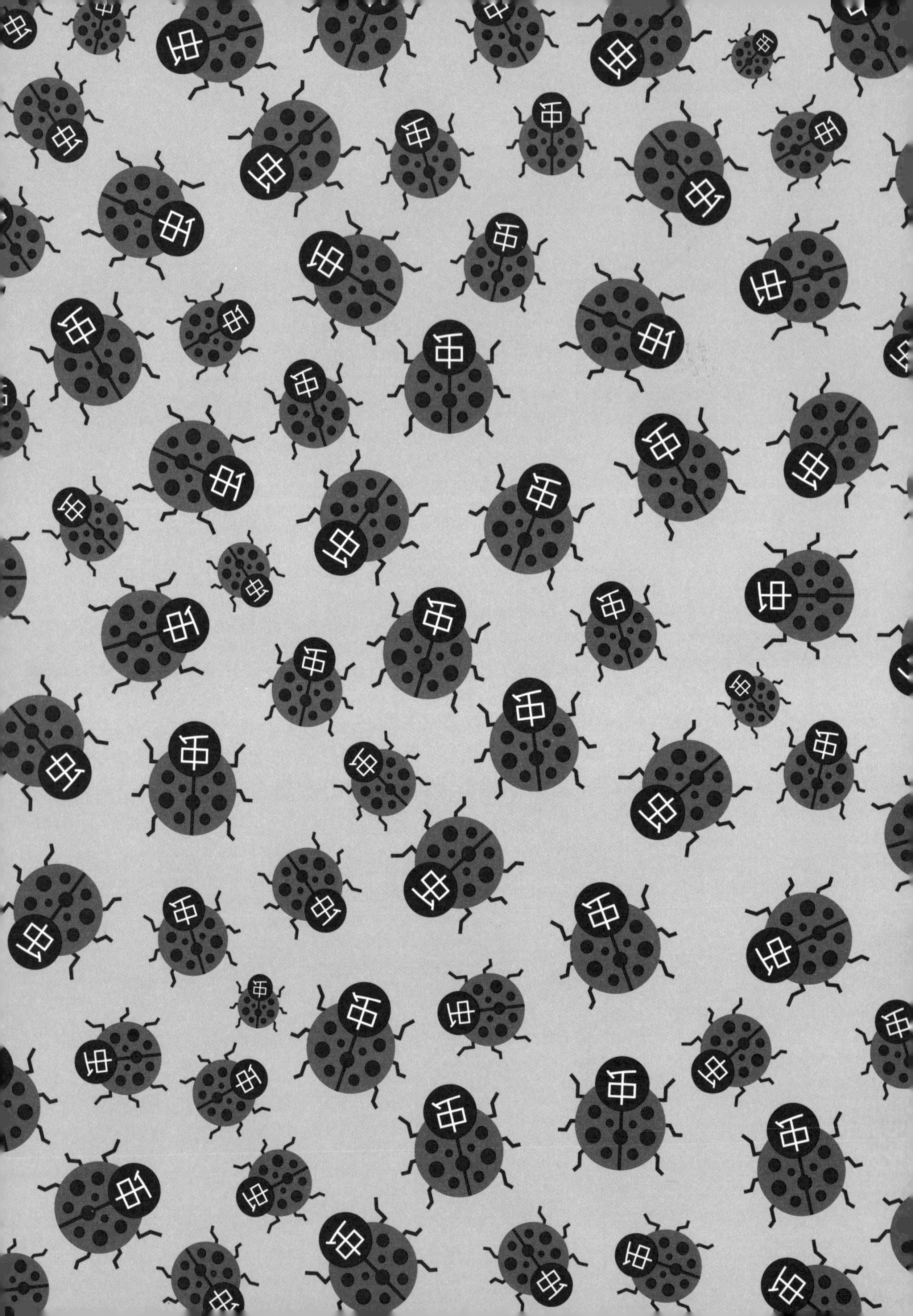